O REI DOS DIVIDENDOS

Luiz Barsi Filho

O REI DOS DIVIDENDOS

A saga do filho de imigrantes pobres que se tornou o maior investidor pessoa física da bolsa de valores brasileira

Sextante

Copyright © 2022 por Luiz Barsi Filho

Todos os direitos reservados. Nenhuma parte deste livro pode ser utilizada ou reproduzida sob quaisquer meios existentes sem autorização por escrito dos editores.

texto: Sibelle Pedral
preparo de originais: Sheila Louzada
revisão: Hermínia Totti e Tereza da Rocha
diagramação: Valéria Teixeira
capa: DuatDesign
foto de capa: Léo Ramos
impressão e acabamento: Associação Religiosa Imprensa da Fé

CIP-BRASIL. CATALOGAÇÃO NA PUBLICAÇÃO
SINDICATO NACIONAL DOS EDITORES DE LIVROS, RJ

B289r

    Barsi Filho, Luiz, 1939-
        O rei dos dividendos / Luiz Barsi Filho. - 1. ed. - Rio de Janeiro : Sextante, 2022.
        256 p. ; 23 cm

    ISBN 978-65-5564-474-6

        1. Barsi Filho, Luiz, 1939-. 2. Investidores (Finanças) - Brasil - Biografia. I. Título.

22-79770   CDD: 332.6092
                          CDU: 929:336.581

Meri Gleice Rodrigues de Souza - Bibliotecária - CRB-7/6439/643

Todos os direitos reservados, no Brasil, por
GMT Editores Ltda.
Rua Voluntários da Pátria, 45 – 14º andar – Botafogo
22270-000 – Rio de Janeiro – RJ
Tel.: (21) 2538-4100
E-mail: atendimento@sextante.com.br
www.sextante.com.br

Sumário

Prefácio — 7

Prólogo — 11

1 O menino do Quintalão — 19

2 O contabilista — 28

3 O investidor iniciante — 40

4 O sócio de corretora — 52

5 O equilibrista — 62

6 O teórico — 72

7 O milionário — 83

8 O aposentado — 93

9 A raposa — 99

10 O crítico da agiotagem — 109

11 O investidor protegido — 115

12	O CONSULTOR	123
13	O INVESTIDOR EXPOSTO	138
14	O VISITADOR	150
15	O HOMEM DE FAMÍLIA	155
16	O INVESTIDOR INOXIDÁVEL	159
17	O GUERREIRO	171
18	O TURRÃO	180
19	O LOUCO DOS DIVIDENDOS	197
20	O POLEMISTA	207
21	O FILÓSOFO	219
EPÍLOGO		233

Prefácio

Foram quase 18 meses de trabalho até este livro chegar às suas mãos. Muitas entrevistas, conversas, surpresas e até algumas lágrimas depois, nasceu esta autobiografia que conta a trajetória do maior investidor pessoa física do Brasil, Luiz Barsi Filho. Mas esse poderia muito bem ser um livro sobre a história do nosso mercado de capitais, no qual Barsi atua há mais de cinco décadas. Ou as memórias de um dos milhares de brasileiros humildes que prosperaram pelo fruto de seu trabalho.

É isto que me agrada nas páginas que você está prestes a ler: qualquer um poderá se identificar com esta obra. A simplicidade nas palavras deste homem fará você esquecer que é a história de um bilionário. A capacidade de se comunicar em uma linguagem afável e de traduzir um assunto que por muito tempo foi considerado inatingível para a maioria é uma das qualidades às quais atribuo sua popularidade hoje.

Um dos nossos desafios durante o processo de escrita foram os poucos depoimentos que Barsi oferecia sobre sua vida pessoal. Seu maior orgulho e, segundo ele, a única contribuição que realmente importava deixar vinha do seu trabalho e da sua paixão, as ações. E, pensando bem, esse sempre foi o elo que nos conectou como pai e filha.

A perda do pai quando tinha apenas 1 ano e a infância pobre no cortiço obrigaram Barsi a se tornar o homem da casa muito precocemente. Naquela época, não havia tempo a perder com sentimentalismos: o trabalho era a única distração possível para o estômago que roncava. E assim foi forjada a sua personalidade, a de um homem cuja sensibilidade é demonstrada menos pelo calor das palavras e mais pela grandeza de seus atos.

Posso contar nos dedos as vezes em que ouvi um "eu te amo" do meu pai, ou que o vi chorar. Mas, do jeito dele, tentou criar uma ponte entre nós. E conseguiu.

As palavras "bolsa de valores" dificilmente seriam ouvidas durante um almoço na casa de uma família comum, no início dos anos 2000. Na minha, eram assunto todos os dias. Entre as minhas melhores recordações, sem dúvida, são poucas as que não envolvem alguma conversa sobre ações ou investimentos. Em todos os nossos momentos de lazer, meu pai arrumava um jeito de retornar ao assunto que ele mais amava, e que com o tempo foi se transformando num interesse comum entre nós. Ele me explicava que sua ausência durante a semana se devia ao fato de "papai estar ajudando as pessoas a investirem melhor". Me fez admirá-lo pelo que fazia, não pelo que havia acumulado.

Uma de suas maiores preocupações enquanto eu crescia era o fato de eu ter pai rico. Ele sabia como lidar com a falta de oportunidades, pois teve que lutar por absolutamente tudo que conquistou. Isso fez dele um vencedor. Mas como repassar esses valores a alguém que já nasce com esses desafios superados?

Nunca nos faltou nada, a vida sempre foi muito confortável.

Viajávamos até com bastante frequência. Mas se engana quem imagina que eu fui uma criança rodeada de brinquedos, roupas, ou uma adolescente com acesso a cartão ilimitado e outros supérfluos. Eu escolhia um presente de valor delimitado em cada data especial: aniversário, dia das crianças e Natal, apenas.

Uma vez, quando eu estava prestes a completar 5 anos, o presente que eu tanto desejava custava mais do que o limite que ele havia estabelecido. Eu me lembro da reação dele ao ouvir o meu pedido: "A bicicleta é mais cara, mas isso é simples de resolver. Se você juntar o valor dos presentes que receberia agora, no dia das crianças e no Natal, no seu próximo aniversário você já terá o dinheiro para comprá-la. Mas eu vou te ajudar."

Naquele ano, ele me presenteou com 50 reais, mas não com uma cédula sem graça de papel. Meu pai comprou um pequeno baú, mandou envernizar e gravar o meu nome em uma plaquinha. Colou figurinhas nas laterais. Dentro dele, colocou 200 moedas novinhas de 25 centavos, daquelas bem douradas.

Quando abri, pensei que era ouro: nunca tinha visto tantas moedas brilharem juntas! Lembro-me de ter ficado fascinada e gritado pela casa: "Eu ganhei um tesouro! Vó, vô, venham ver o meu tesouro do baú do pirata!" Dali em diante, estava motivada a juntar todas as moedas possíveis para que, no aniversário seguinte, eu pudesse comprar a minha bicicleta.

Uma lição tão simples, mas que me marcou profundamente, assim como vários dos nossos momentos juntos. Então, papai, eu queria te dizer que as ações não foram o seu único motivo de orgulho. O senhor foi um paizão, com todos os seus defeitos que te fazem humano. A mim, ensinou a dar valor às pequenas coisas, a ter apreço pela história da nossa família, me mostrou uma profissão que me completa.

E agora, por meio deste livro que conta a sua história, o senhor poderá finalmente deixar um legado ao mercado e a todos os brasileiros. O senhor nos ensina que é possível ter ambição e chegar longe, mesmo vindo de baixo, sem passar por cima de ninguém. Que é possível ter uma renda digna, sem depender das migalhas assistencialistas da previdência. "Que com paciência e disciplina, é impossível perder dinheiro com ações."

Nosso objetivo, ao final desta leitura, é que você, leitor, se convença de que as Ações Garantem o Futuro.

Abraço,

LOUISE BARSI

Prólogo

Caía a noite em Laguna, uma pequena cidade histórica do litoral catarinense a pouco mais de 100 quilômetros de Florianópolis. Ao volante de uma caminhonete branca, ano 2019, o homem de camisa polo verde e calça jeans guiava pela BR-116 com atenção e perícia incomuns para os 83 anos que completaria dali a dois meses. Gostava de dirigir, especialmente sozinho, e longas viagens lhe davam prazer. Havia saído de São Paulo naquela manhã, bem cedo, e planejara chegar a Laguna com a luz do dia, mas pouco antes de Balneário Camboriú, outra famosa cidade litorânea, um acidente envolvendo dois caminhões o reteve na estrada por três horas.

Parado na rodovia, com centenas de outros motoristas irritados e entediados com a parada imprevista, ele achou que podia descansar um pouco. Afinal, até ali já tinha rodado mais de 600 quilômetros. Reclinou o banco, soltou o cinto de segurança, abriu as janelas e tirou um bom cochilo, sem que ninguém o incomodasse. Despertou disposto e animado. E na hora certa: os caminhões tinham sido removidos da pista e os outros veículos ligavam motores, numa barulheira alegre que prenunciava a retomada da viagem para todos.

Ele ajustou o banco, espreguiçou-se, olhou-se no retrovisor: o rosto marcado por rugas, o cabelo branco escasseando e penteado todo para trás, levemente desalinhado depois da soneca. Achou que tinha boa aparência e pensou que não sentia em absoluto o peso dos seus tantos anos. Ligou novamente o carro e preparou-se para percorrer os 180 quilômetros até Laguna, onde pretendia parar num hotel que já conhecia de outras viagens – o Renascença –, jantar, repousar e, no dia seguinte, seguir viagem até Gramado.

Ele adorava Gramado, a cidade da Serra Gaúcha cujo inverno lembrava o clima europeu que tanto apreciava. Era verão, mas que diferença fazia? Gramado era bonita e agradável o ano inteiro.

Ao contrário do tempo da juventude, porém, já não gostava de dirigir à noite. Por isso planejara a parada em Laguna. Lá fora, além da escuridão, começava a chover. Definitivamente, era hora de fazer uma pausa.

Olhou para o ponteiro do combustível: ele se distraíra, e estava perigosamente baixo. Por sorte, as luzes de um posto a alguma distância acenaram para ele. Começou a sinalizar que entraria à direita. Diminuiu a velocidade quando viu a placa: POSTO DE GASOLINA A 100 METROS. Opa: mais perto do que tinha imaginado! Viu que ficava em uma avenida marginal, paralela à rodovia. A súbita proximidade fez com que ele saísse da estrada de um jeito um pouco repentino, orientado por olhos de gato no asfalto.

Os olhos de gato, na verdade, sinalizavam uma valeta profunda a separar rodovia e marginal, com um desnível de quase meio metro. À noite, com chuva, ele não percebeu. O carro mergulhou na valeta, ainda com alguma velocidade, fazendo um barulho assustador de metal se retorcendo violentamente. Com o choque, os airbags da caminhonete inflaram, pressionando o peito do motorista e causando-lhe dor. Ele teve medo, muito medo. Fechou os olhos e tentou respirar. Levou longos segundos para se dar conta de que estava vivo e, até onde podia perceber, bem.

Um carro que vinha atrás parou para socorrê-lo – um casal de olhar gentil, os dois preocupados. Não o retiraram da cabine, temendo que ele houvesse quebrado algum osso e seu quadro piorasse com o movimento. Mas pediram ajuda, que veio rápido: uma ambulância da concessionária da rodovia chegou em alguns minutos, com sirenes soando e luzes piscando. Mãos experientes o ajudaram a sair do carro e o deitaram numa maca.

Um médico o examinou dentro da ambulância. Sinais vitais bons. De fato, exceto pelo machucado no pé, que se enganchara num pedal do carro, e pela dor no peito causada pelo impacto do airbag, ele estava ileso. "Mas seria bom se o senhor fizesse uma radiografia", recomendou o socorrista. Ele prometeu que faria.

Quando pôs os pés no chão, ainda abalado, mas com a firmeza que era possível, sentiu alívio. Nada parecia quebrado. Conseguia andar, apesar das dores no pé e no peito – mais tarde, ao tirar a camisa, veria os hematomas se desenhando sob a pele clara. Demorariam semanas para desaparecer.

Logo chegaram policiais corteses explicando que, por se tratar de acidente, eram obrigados a usar o bafômetro. O homem concordou e soprou o aparelho – zero álcool. Estava liberado.

O casal que prestara o primeiro atendimento não tinha arredado pé do local e se ofereceu para hospedá-lo naquela noite.

"Pode dormir lá em casa, ao menos o senhor não fica sozinho", sugeriu o marido. "Melhor que em hotel." Mesmo assustado demais para recusar, ele hesitou. O casal achou que o motivo da hesitação fosse o carro – talvez o homem não quisesse simplesmente abandoná-lo ali, às margens da rodovia. O marido então informou que conhecia um bom funileiro: pediria a ele que enviasse um guincho e levasse a caminhonete direto para a oficina, que ficava em Tubarão, cidade vizinha. Depois veriam os detalhes, mas não era profissional careiro e era de muita confiança. Não mexeria nos pertences acomodados na caçamba, coberta por uma lona – podia ficar tranquilo quanto a isso. Gente honesta.

O homem pegou uma pequena mala e um pacotinho de dinheiro guardado no porta-luvas. Ainda esperaram um pouco pelo resgate. Quando finalmente chegou, o guincho acabou não sendo suficiente – foi necessária uma grua para puxar o carro da valeta profunda. A caminhonete estava em péssimo estado, ele constatou, sem coragem ainda de usar a palavra correta para a situação: destruída.

A mulher o ajudou a entrar no carro do casal. Apresentaram-se, falaram sobre o susto e sobre a sorte por tudo ter acabado bem. "Acidentes acontecem por imprudência ou imperícia", justificou-se o homem. "No meu caso, não foi uma coisa nem outra: aqueles olhos de gato me enganaram." O casal se solidarizou. Os dois comentaram o problema da sinalização e pensaram em providências para que outros motoristas não caíssem na mesma cilada.

O homem ligou para a esposa, que tinha ficado em São Paulo e esperava notícias. Explicou que tinha sofrido um pequeno acidente, mas estava tudo bem, um médico o havia examinado. Demorou um tempo para acalmá-la.

A residência do casal que o acolheu em Laguna era simples, mas confortável. O hóspede inesperado foi acomodado num quarto de mobília sólida e sem modernidades. Ele pôde tomar um banho e trocar a roupa, que tinha pequenas manchas de sangue. Enquanto isso, a anfitriã preparou o jantar. O marido se dispôs a abrir um vinho para celebrarem o desfecho favorável. Comeram bem e beberam a garrafa toda. O homem então se retirou para o quarto de hóspedes e adormeceu profundamente.

— · —

Na manhã seguinte, os três saíram juntos: o marido levou a esposa ao trabalho e o hóspede ao funileiro. O homem agradeceu muito a acolhida do casal. "Vocês foram meus anjos da guarda", disse. Despediram-se com apertos de mão e abraços comovidos.

O homem se sentia muito dolorido – moído, mesmo –, mas aliviado. Estava vivo e praticamente ileso. Na oficina espaçosa, de paredes claras e limpas, encontrou seu carro e, à luz do dia, constatou que estava mesmo bastante avariado. O funileiro não tinha boas notícias.

– Minha ideia é desmontar, trocar tudo o que quebrou, pintar inteirinho e remontar – explicou. – Pode demorar alguns meses, porque, com a pandemia, talvez seja difícil encontrar as peças. – E concluiu: – Não é um conserto barato, deve ficar nuns 20 mil reais, mais ou menos. Isto é, se o senhor achar que vale a pena. O senhor tem seguro?

O homem não tinha. Nunca tivera. De nenhum carro, desde o primeiro, um Passat usado, adquirido no final dos anos 1960. Não confiava nas seguradoras: cobravam muito e ofereciam pouco em caso de sinistro. Até então, um seguro automobilístico nunca lhe fizera falta; ele se considerava um motorista atento e habilidoso. Mas era afeiçoado à caminhonete.

– Pode fazer e me mandar a conta. Aliás, você tem um carro para me emprestar, para me alugar, melhor dizendo?

O funileiro tinha um Onix branco que podia lhe ceder.

Àquela altura, o homem precisava escolher entre voltar a São Paulo e seguir viagem até Gramado. Como seu estado geral de saúde era bom, escolheu rumar para o sul. Acertaram o valor do aluguel e ele transferiu seus pertences da caminhonete para o Onix. Entregou ao funileiro um pouco do dinheiro que tinha levado consigo, a título de entrada pelo trabalho, e, revirando a carteira, encontrou um cartão de visita, que estendeu a ele para "ir dando notícias do conserto".

No cartão havia apenas um nome, Luiz Barsi Filho, e um número de celular de São Paulo.

Aquele nome não significava nada para o funileiro, mas, com a confiança típica da gente simples das cidades pequenas, ele confiou que o homem pagaria. De todo modo, o homem achou por bem oferecer alguma garantia a mais:

– Depois dá um Google no meu nome.

O funileiro disse que não precisava. Mais tarde, porém, fez o que o homem sugeriu. A princípio, achou que fosse brincadeira. Comentou com amigos, que pesquisaram também. E riram, céticos: Luiz Barsi Filho numa funilaria em Tubarão? Que piada.

Quando Barsi chegou a Gramado, um cunhado seu, irmão de sua esposa, já estava com passagem comprada para Porto Alegre no dia seguinte. De lá, seguiria para a Serra Gaúcha. A notícia do acidente tinha causado alarme em São Paulo. A filha caçula, que estava em viagem de férias naquele janeiro quente de 2022, acionou o tio para "resgatar" o pai e não deixar que voltasse sozinho. Barsi achou exagero, mas gostou da companhia na viagem de volta, feita alguns dias depois, quando já se considerava totalmente recuperado. Como era de esperar, no meio do caminho decidiram parar em Tubarão para dar uma olhada no carro em reparos. Quando já estavam perto, Barsi ligou para o funileiro a fim de se certificar de que estaria na oficina.

Sim, ele estaria. Ele e o grupo de amigos que não tinham acreditado no funileiro quando ele lhes disse o nome do cliente da caminhonete. Àquela altura, todos tinham se informado sobre Luiz Barsi Filho, mas parecia incrível demais para ser verdade.

Era.

Diante deles, examinando o carro meio destroçado e fazendo comentários sobre a qualidade dos reparos em curso, estava um dos poucos bilionários brasileiros, o maior investidor pessoa física da Bolsa de Valores de São Paulo, a B3. Luiz Barsi Filho é o maior acionista individual do Banco do Brasil e proprietário de quinhões respeitáveis de conglomerados como Unipar, gigante na produção de cloro e soda cáustica, e Klabin, a maior produtora e exportadora de papel do país. Um bilionário conhecido por seus hábitos simples, quase pitorescos, como andar de metrô e de ônibus pela cidade ("Uso máscara por causa da pandemia, ninguém me reconhece", acredita). Os rapazes quiseram fazer selfies com o megainvestidor, que muitos consideram "o Warren Buffett brasileiro" – comparando-o ao titã americano, um dos homens mais ricos do mundo. As selfies circularam por Laguna e Tubarão, atestando o inacreditável.

Esta é a história desse homem, narrada por ele mesmo e por pessoas que conviveram com ele em momentos diferentes de sua vida.

Em tempo: estabeleceu-se uma amizade entre Barsi e o casal que prestou o primeiro atendimento naquela noite chuvosa de janeiro. Mantiveram contato desde então e trocam mensagens cordiais com frequência. Barsi é grato a eles e os menciona sempre que fala do ocorrido. São seus anjos da guarda, diz.

1
O menino do Quintalão

"Não tinha nada de bonito na minha pobreza"

Eu nunca tive a expectativa de ser um homem rico. Tudo o que eu queria, na verdade, era nunca mais voltar à pobreza de onde vim.

Não sei como era a situação enquanto meu pai era vivo. Eu tinha pouco mais de 1 ano quando ele morreu e só o vi em fotos. Minhas memórias da pobreza começam anos depois. Talvez não sejam exatamente memórias, porque parte me foi contada, mas de outra parte me lembro mesmo, porque vivi.

Meus pais estavam casados havia pouco mais de um ano quando nasci. Minha mãe, Maria Margarida Ruiz Santos Barsi, descendente de espanhóis. Meu pai, Luiz Barsi, de quem herdei o nome, descendente de italianos. Moravam num grande sobrado na Mooca, de propriedade do meu *nonno*, Francisco Barsi, pai do meu pai. O *nonno* e a *nonna*, Emma Bazan Barsi, ocupavam o andar de cima. No térreo, em "apartamentos" compostos por quarto e cozinha, viviam os quatro filhos: minha tia Helena, a mais velha; meu pai, o segundo filho, já casado com minha mãe; meu tio Nelo, o terceiro; e tia Olga, a raspa do tacho. Não sei se o convívio era bom, mas era como se fazia: nas primeiras décadas do século XX, muitas famílias de imigrantes compartilhavam o mesmo endereço, e a Mooca era um bairro de italianos.

Não sei se casaram apaixonados nem se eram felizes, porque, depois da morte do meu pai, minha mãe não teve muito tempo para se lamentar ou evocar lembranças. Precisava trabalhar. Não seria o primeiro emprego. Quando solteira, ela já havia trabalhado em uma fábrica de charutos, embalando o fumo no papel cortado à faca. Casada, passou a dedicar-se só às tarefas domésticas.

Meu pai gostava muito de pimenta. Reza a lenda que certa vez engoliu uma sementinha, que grudou no estômago e provocou uma úlcera. Precisou de cirurgia. Levaram-no ao hospital Umberto Primo, conhecido também como hospital Matarazzo, uma instituição da colônia italiana cujo lema era oferecer aos pobres a saúde dos ricos. A operação foi um sucesso, mas um descuido pós-cirúrgico pôs tudo a perder. Ele estava na casa dos 30 anos.

Dizem que se tivesse recebido cuidados de enfermagem, meu pai teria vivido. Dizem que meu avô se negou a pagar por esse cuidado à parte e depois se arrependeu. Dizem que foi por isso que comprou um túmulo com lápide no Cemitério Quarta Parada, ali perto, que até hoje pertence à família.

Enterrado meu pai, o *nonno* pediu que minha mãe desocupasse o apartamento onde os dois tinham vivido e levasse o neto, eu. Pretendia alugar a habitação por um bom valor e não parecia preocupado com o nosso destino. Na época era assim: menos sentimentalismo, mais realidade. Meu pai era filho, e as noras eram… noras. Não eram nada dele, afinal. Netos, esse *nonno* tinha clara preferência pelos que haviam sido gerados pelas filhas. Minha mãe não falava muito sobre esse acontecimento, mas tenho para mim que guardava certa mágoa.

Ela então arrumou seus poucos pertences e mudou-se comigo para uma pequena casa na rua Caetano Pinto, no Brás, numa vila operária. À frente da entrada da vila havia uma doceria, um *churrero*, como dizíamos. Se eu fechar os olhos, consigo sentir o cheiro de açúcar e canela dos churros, que só vim a provar no final da adolescência, porque naqueles primeiros tempos todo centavo era importante e doce era desnecessário. Ela voltou a trabalhar numa fábrica de charutos, e logo viu que com o que recebia não dava para morar "tão bem". Então nos mudamos para um cortiço, também no Brás, que chamávamos carinhosamente de Quintalão.

O Quintalão era uma comunidade. Devia abrigar umas 30 famílias, mais de uma centena de pessoas no total, a maioria imigrantes europeus pobres. Morávamos num quarto que era também cozinha e compartilhávamos banheiros. Os homens trabalhavam fora e as mulheres cuidavam da vida doméstica. Minha mãe era a única mulher que saía para ganhar o próprio sustento. Nos primeiros tempos, eu ficava no Quintalão quando ela se ausentava. As outras moradoras eram solidárias e até me olhavam de vez em quando, mas de modo geral fui uma criança largada, brincando das brincadeiras possíveis com outras crianças largadas. Foi nesse meio que cresci.

Eu era um moleque traquinas e era comum que alguém me delatasse para minha mãe quando ela voltava do trabalho. Uma vez conseguimos uma bola de futebol e, no calor da partida, ela foi parar no quintal do vizinho, um português mal-humorado que não apenas não quis devolver, como ainda furou a bola. Dias depois, uma das galinhas do português escapuliu para o Quintalão. Peguei o bicho, subi no telhado com a galinha debaixo do braço e desafiei o vizinho:

– Não devolvo nunca mais!

Gostaria de dizer que a galinha virou canja, mas o fato é que não lembro. Talvez minha mãe tenha me obrigado a devolver. Era uma mulher afetuosa e capaz de tudo por mim, mas severa quando eu aprontava. Fui uma criança que apanhou muito, de cinta, de chinelo, de baldes que voavam na minha direção – o que estivesse por perto. "Nino, venha cá!", ela me chamava, e eu sabia que viria bronca. Mas éramos só os dois, e éramos unidos, e unidos vivemos até o fim da vida dela, aos 92 anos, com a mente já nublada pelo Alzheimer. Quando penso naqueles dias, eu a vejo de saia ou vestido, algum acessório enfeitando o cabelo, o jeito cansado de cumprimentar as outras mulheres do Quintalão antes de se recolher comigo no nosso quarto.

Com o tempo passei a acompanhá-la ao trabalho, mas ficava numa escolinha no meio do caminho, na rua Alfredo Pujol, nos Altos de Santana. Quando minha mãe mudou de emprego e virou vendedora de uma bombonière de cinema, comecei a trabalhar com ela. No intervalo dos filmes, passeava pela sala de projeção vendendo saquinhos de uvas-passas que embalávamos por nossa conta. Eu entregava todo o dinheiro a ela.

Algumas vezes os fiscais faziam batidas no cinema à procura de irregularidades, principalmente menores de idade admitidos em sessões de filmes "impróprios". Minha mãe estava sempre atenta: se a fiscalização chegava, ela me escondia num depósito. Um dia, porém, não foi rápida o suficiente e os homens me flagraram trabalhando.

– Menor de idade não pode estar aqui – advertiram.

Ela os enfrentou.

– Sou viúva e prefiro que ele esteja comigo aqui, onde vejo o que ele está fazendo. Ou o senhor acha que é certo deixar o menino na rua?

Os fiscais foram embora e eu fiquei.

Éramos pobres, mas nunca passamos fome. Cumpria-se a profecia do meu avô materno, Antonio, imigrante que deixou Granada, na Espanha, para escapar da vida sofrida. Em San José, a cidadezinha deles, viviam em *cuencas*, buracos escavados na pedra, miseráveis. Minha mãe contava que, ao desembarcar no porto de Santos, em 1910, meu avô observou os latões de lixo atentamente e disse, contente, à minha *aguelita* Josefa:

– Aqui não há fome. Tem comida na lata de lixo. Onde há comida no lixo não existe fome – sentenciou.

Comida cara, de luxo, não havia. Havia a comida que dava para comprar com o nosso dinheiro. Não muito longe de casa, na rua Carneiro Leão, conhecíamos um açougueiro que tinha se especializado em preparar *morcilla*, ou morcela, um embutido à base de sangue, em geral de porco, muito mais barato do que a linguiça comum. *Morcilla* se tornou a especialidade da minha mãe, que a preparava com tomate, com pimentão, com o que quer que houvesse, e misturava no arroz. Quando sobrava algum dinheiro, ela comprava os ingredientes para o *puchero*, um saboroso cozido espanhol que, além de *morcilla*, leva toucinho e carne de boi. É um prato fantástico, receita aprendida com a *aguelita* fiel às origens, gorduroso e de uma força impressionante. No começo, as mulheres do cortiço cozinhavam no fogão a lenha. Evoluíram para um que funcionava a querosene e só muito tempo depois tiveram acesso a fogões a gás.

Quando fomos expulsos da casa do *nonno*, minha mãe naturalmente se aproximou de sua família de origem. Imigrantes pobres também, não podiam nos ajudar muito, mas eram gentis e solidários. Minha mãe tinha muitos irmãos, nunca soube quantos, mesmo que isso pareça estranho hoje. Eu convivia com tia Carmen, que morava em São Paulo, e mais esporadicamente com tia Josefa, de Belo Horizonte. Havia também tia Antonia, de Santos, que veio a morrer de sífilis, esquecida num asilo para pessoas acometidas por essa doença.

Nossas histórias de família se parecem com outras tantas daquela época. Tia Josefa, por exemplo, se casou com tio Antônio e tiveram dois filhos. Mas esse mesmo tio se engraçou pela tia Carmen, cunhada dele, e também tiveram filhos. As duas irmãs, desnecessário dizer, acabaram rompendo, e o tio se fixou em Belo Horizonte com Josefa. Montou um ferro-velho e se estabeleceu por lá, onde prosperou a ponto de me mandar passagens de avião para visitá-lo ocasionalmente – o que eu fazia com muito gosto na adolescência. Lembro-me de aos 12, 13 anos passar muitas tardes com ele no ferro-velho, encantado com peças antigas e restos de carros.

Havia ainda meu tio Mariano. Na época do Quintalão, ele construiu uma cozinha de madeira ao lado do galinheiro para que minha mãe não precisasse cozinhar no quarto, como outras mulheres do cortiço. Acabamos dividindo esse espaço com duas senhoras, dona Maria e dona Catarina. O marido de dona Maria, seu Alfredo, se embriagava e espancava a mulher. Nós, crianças, ouvíamos as brigas, aflitos e assustados.

Foi no Quintalão que tive meu primeiro grande amor. Aos 16 anos, me apaixonei por uma jovem dois anos mais velha, Catarina Padilha, que todos conheciam como "Negrinha" – embora ela fosse branca. Lembro que me enchi de coragem e tomei a iniciativa de pedi-la em namoro. Ela me chamou de louco, alegou a diferença de idade para me dispensar, mas depois mudou de ideia e veio atrás de mim. Chegamos a namorar, mas tudo acabou quando ela se mudou do cortiço.

Vivemos no Quintalão dos meus 3 anos até perto dos 20, quando finalmente pudemos nos mudar para um apartamento. Bem antes disso, minha *aguelita* Josefa veio morar no nosso quarto quando meu avô, ruim da cabeça, foi internado no Hospital do Juquery, uma das mais antigas colônias psiquiátricas do país, em Franco da Rocha. Morreu lá, muito velho. Minha avó ficou conosco até morrer, centenária e lúcida até o final.

O grosso do nosso sustento vinha do que minha mãe ganhava no cinema, onde trabalhou por muitos anos. Guardo na memória uma feliz coincidência que aconteceu em 1958, ano em que o Brasil foi campeão na Copa do Mundo realizada na Suécia. Disputaríamos a semifinal com a França, e os funcionários do cinema fizeram um bolão. Minha mãe foi a última a entrar e, como tinham combinado não repetir resultados, chutou um placar que ninguém tinha indicado até ali: 5 a 2 para o Brasil.

Placar final do jogo: 5 a 2. Ganhamos uma boa nota.

O jogo seguinte era a final contra a Suécia, a anfitriã. Dessa vez, pediram a minha mãe que fosse a primeira a assinar o bolão. E ela, embalada pelo sucesso anterior, chutou de novo 5 a 2. O Brasil levou a taça batendo a Suécia por... 5 a 2. Ela ficou feliz.

Com o tempo, meus bicos ajudavam cada vez mais. No cinema, deixei de vender passas e fui "promovido" a baleiro. Trabalhava aos sábados e domingos, quando as sessões eram mais cheias. Durante a semana, fazia ponto como engraxate num prédio baixo na avenida Rangel Pestana, esquina com rua Professor Batista de Andrade, no Brás. Nesse lugar havia bailes só para pessoas negras, que chegavam sempre muito elegantes – e pediam lustre no sapato. Aprendi o ofício e desde então nunca deixei de engraxar meus sapatos. Faço isso melhor que ninguém.

Ainda hoje, quando vou ao prédio da bolsa, no centro velho de São Paulo, sempre pergunto aos engraxates quanto cobram. "Vinte reais", me disseram numa das últimas vezes que estive lá. Agradeço e recuso. Com 20 reais compro duas ou três latinhas de graxa. Não é economia – é valorizar o dinheiro que ganho.

Quando a bombonière foi vendida, minha mãe recebeu uma indenização na forma de nota promissória, que usamos para dar entrada num pequeno apartamento na rua Carneiro Leão, sempre no Brás. A essa altura, eu já estava com 19 anos (acho). Deixamos enfim o Quintalão para uma melhora de vida conquistada com quase duas décadas de trabalho dela. Minha mãe então decidiu trabalhar como costureira no ateliê de uma amiga de infância, dona Encarnação, onde já estava dona Lola, minha madrinha de batismo. Especializou-se no arremate: dava pontos que praticamente ninguém conseguia enxergar, era de uma habilidade inconcebível. Ela me ensinou a costurar e a cerzir. Até hoje, quando tenho uma meia rasgada ou um furinho na roupa, sou capaz de enfiar a linha na agulha e fazer um reparo perfeito. Minha mãe sempre dizia: "Posso te ver remendado, mas nunca rasgado." Era uma questão de dignidade.

O ateliê ganhou renome, minha mãe melhorou sua renda e, passo a passo, fomos nos afastando da pobreza.

Muitos anos depois, pouco a pouco, me aproximei da família do meu pai. Com a morte do meu avô, o casarão da Mooca onde a família toda vivia começou a se deteriorar. Minha avó não conhecia dinheiro; era analfabeta e assinava carimbando o dedão na folha de papel. Ao fazer o inventário do meu avô, minhas tias Olga e Helena fizeram alguma manobra para ficar com fatias mais gordas do imóvel, enquanto meu tio Nelo e eu, como herdeiro do meu pai, fomos claramente prejudicados. Mais tarde, quando as tias quiseram vender o casarão, exercemos nosso direito de dizer não, numa disputa que se arrastou até tia Helena morrer, de câncer. Só tia Olga ficou por lá, viúva. Em meados dos anos 1970, quando eu já estava fazendo algum dinheiro, comprei a casa dos demais herdeiros e disse a essa última tia que poderia ficar, se quisesse. Durante muitos anos ela morou sozinha lá, cercada por dezenas de gatos, entre paredes que se degradavam lenta mas inexoravelmente. Só saiu, a contragosto, quando constatamos que havia risco de a casa desmoronar. Demoli o imóvel e construí no terreno um galpão que me pertence até hoje. Meus filhos herdarão.

Não havia nada de poético nem de bonito na minha pobreza. Foi uma infância dolorida, que, ao longo dos anos, tornou-se o meu grande estímulo para ganhar e multiplicar meu dinheiro. Eu tinha medo de voltar àquela penúria. Quando alguém me pergunta se sou rico, devolvo a pergunta: o que, afinal, é riqueza para aquela pessoa? Para mim, rico é aquele que se contenta com o que tem. Sob esse aspecto, sempre fui e ainda sou pobre, pois nunca me contentei com o que tinha e ainda hoje não me contento. É isso que me impulsiona. Não vou parar por aqui.

2

O CONTABILISTA

"Eu já sabia o que uma ação representava"

Mesmo nos anos mais difíceis, se houve algo de que minha mãe jamais abriu mão foram os meus estudos. Eu só podia fazer meus bicos como baleiro e engraxate depois da escola ou nos fins de semana. Ela própria nunca tinha frequentado escola. Sabia ler e escrever, mas foi autodidata e vivia me dizendo: "Eu não pude estudar, mas você pode."

Na Escola Estadual Romão Puiggari – então denominada "grupo escolar" –, que ocupava um elegante prédio de arquitetura neoclássica no Brás, fiz quatro anos do primário, como se chamava na época o ensino fundamental I. Com 12 anos, entrei na Escola Técnica de Comércio 30 de Outubro, no mesmo bairro. Tinha ótima fama e, na época, oferecia quatro anos de disciplinas básicas mais três de ensino técnico. Pertencia ao então deputado estadual por São Paulo Derville Allegretti, um descendente de italianos criado na Mooca que começou no jornalismo, entrou para a política e se afeiçoou pelas relações de comércio. Eu ia a pé, nem sempre bem-vestido, mas sempre digno. Era uma escola particular, portanto não gratuita, mas minha mãe, apresentando-se como viúva e provedora, havia conseguido um bom desconto na mensalidade, acho que de 60%. O restante ralávamos muito para pagar, minha mãe na bombonière, eu com meus bicos.

Com 14 anos, arrumei um emprego de office boy num laboratório de origem americana que prestava serviços à Gessy, mais tarde incorporada ao grupo que é hoje a Unilever. Eu atendia o presidente da empresa, o Sr. Joseph Patrick O'Brien, e ficava sob as ordens da secretária dele, uma mulher de trato difícil chamada Eileen, com quem ninguém se entendia. Eu precisava de dinheiro, precisava de emprego e, portanto, me entendi com Eileen. Passados alguns meses, eu, ainda molecote, mas atrevido, abordei o Sr. O'Brien: será que ele não poderia me confiar algo mais importante, para que eu pudesse progredir na empresa? Acho que ele se sensibilizou e, vendo que eu tinha boa caligrafia, me colocou para fazer notas fiscais.

Aos 15 anos, logo que iniciei a etapa técnica da escola de comércio, comecei num emprego melhorzinho, num escritório de contabilidade chamado Della Torre – meu primeiro com carteira assinada. Trabalhava de dia, estudava à noite. Aprendi muito lá, na raça, e, por consequência, tirava de letra os ensinamentos do curso técnico, uma vez que já trabalhava no meio. Hoje as operações contábeis estão totalmente informatizadas, mas na época eu fazia balanços à mão, compilando os registros naquilo que chamávamos de "livro diário" – a brochura em que fazíamos os lançamentos. Com esse emprego, passei a custear eu mesmo boa parte das despesas com a minha educação.

Ainda que minha mãe não me cobrasse um bom desempenho nos estudos, eu me cobrava. Voltar todo dia para o Quintalão era um lembrete constante de que eu precisava desesperadamente melhorar de vida. "Eu tenho que ser bom, e para ser bom, preciso estudar", dizia a mim mesmo. Sempre fui um ótimo aluno.

Terminei o curso técnico em contabilidade e, ato contínuo, entrei na Faculdade de Economia, Finanças e Administração de São Paulo, também no Brás, que funcionava no mesmo complexo que a escola de comércio. Foi um curso excelente, com aulas ministradas por professores do calibre de Vespasiano Consiglio (1930-2012), um dos fundadores da Ordem dos Economistas do Brasil, com passagem pela Secretaria de Abastecimento e Finanças da cidade de São Paulo. "Vespa", como era conhecido, dava aulas de Valor e Formação de Preço, uma disciplina que me ajudaria muito quando, alguns anos depois, precisei entender as variantes envolvidas na formação do preço de uma ação.

Durante esses anos todos, ao longo do curso técnico e da faculdade, trabalhei durante o dia e estudei à noite, numa rotina sacrificada, como a de tantos brasileiros. Até me casar, a maior parte do dinheiro eu entregava à minha mãe, que administrava as despesas da casa. Com o restante, pagava os estudos e tinha sempre algum trocado no bolso para ir aos bares com os amigos nos fins de semana. Éramos um quarteto, todos moradores do Quintalão: Pepe, cujo nome completo ainda recordo (José García Valenzuela, de ascendência espanhola, como minha mãe); Quito, apelido de Antonio Guerreiro Dias; Pedro, de quem só lembro o prenome, e eu. Também saíamos para dançar com as moças em salões de baile que tinham nomes curiosos, como Tijolo Quente, Lilás e Cartola. Nessas ocasiões, eu ficava na rua até o amanhecer. Com a luz do dia, voltava ao Quintalão, mas ainda não entrava: ficava esperando o *churrero* – aquele da rua Caetano Pinto – abrir seu estabelecimento e comia um churro, a massa frita envolta em açúcar e canela que hoje é tão popular em toda parte, com um cafezinho fresco. Nessa época comecei a fumar, um pouco para acompanhar os amigos, um pouco para impressionar as moças.

Foi Pepe quem arranjou para mim o emprego em que fiquei por mais tempo, na Pontal Material Rodante, fabricante de máquinas e equipamentos. Lá, atuava na área contábil, como auxiliar. Era onde eu trabalhava em 1959 – e me lembro disso porque foi o ano da Revolução Cubana, quando Che Guevara e outros guerrilheiros, liderados por Fidel Castro, depuseram o ditador Fulgencio Batista. Eu não era comunista nem nada, mas aquilo me pareceu extraordinário – como de fato foi. Pepe trabalhou por muitos anos na Pontal, até que a empresa quebrou, bem depois de eu ter saído. Com o tempo nos afastamos, infelizmente.

Enquanto estive lá, era uma boa empresa para se trabalhar e eu era um funcionário dedicado – tanto que me tornei contador em um braço da Pontal que se chamava Macapá Indústria de Autopeças e produzia macacos hidráulicos. Eu fazia toda a estrutura de pagamentos e recebimentos da empresa.

Saía do trabalho e ia para a faculdade, e da faculdade voltava para casa.

Uma das poucas exceções a essa vida espartana me valeu uma demissão. Na faculdade, eu era vice-presidente do centro acadêmico e haveria um congresso da União Nacional dos Estudantes em Belo Horizonte. A UNE pagaria todas as despesas, do ônibus à hospedagem – ficaríamos num hospital recém-terminado mas ainda não inaugurado, o Sarah Kubitschek. Avisei ao meu chefe na Macapá, um senhor rabugento chamado Edmundo, que iria e por isso faltaria ao trabalho um dia ou dois. Ele não me liberou e ameaçou me mandar embora. Não me lembro se duvidei ou não da ameaça, mas decidi ir: havia o que eu considerava as obrigações do cargo no centro acadêmico e, bem, não era um emprego ao qual eu fosse tão apegado assim.

Não tenho muita lembrança dos debates estudantis propriamente, mas a viagem foi ótima. O hospital, novinho em folha, parecia um hotel e tinha até um restaurante aberto aos estudantes. Fizemos uma viagem de um dia a Ouro Preto para conhecer a Faculdade de Minas e Metalurgia, com direito a farra no ônibus e caminhada pelas ladeiras da cidade.

Na volta, como anunciado, eu não tinha mais emprego. Entreguei minha indenização à minha mãe e fui procurar trabalho. Como àquela altura já era contador certificado – portanto meu nome aparecia nos jornais quando a empresa publicava seus balanços –, imaginei que não seria difícil. De fato, não foi. Dessa época, guardo a lembrança de um punhado de experiências profissionais menos relevantes que, no entanto, iam acrescentando conhecimento e experiência aos meus estudos para me tornar contabilista e economista. Pulei de galho em galho – me lembro em especial de uma fábrica de buzinas para carros Volkswagen e outra de colchas bordadas.

Depois de mais quatro anos de estudos intensos, me graduei em 1962, aos 23 anos. Saí da faculdade com duas formações, em Economia e em Contabilidade. Isso me abriu portas interessantes.

No final dos anos 1950 e início dos 1960, mais de 70% dos brasileiros tinham no máximo três anos de estudo. Só 1 em cada 100 trabalhadores havia completado o ensino superior. Com meu diploma de técnico contábil, eu já era a pessoa que tinha um olho só em terra de cego. Economista e contador formado, então, nem se fala.

Meus conhecimentos em contabilidade logo me valeram um convite para dar aulas de estrutura e análise de balanços no

Ginásio Paulista, uma instituição muito tradicional no bairro do Pari – vizinho ao Brás, onde morávamos –, na esquina da rua Monsenhor Andrade com a Eliza Whitaker, onde hoje há uma mesquita. Também ensinei contabilidade na Escola de Comércio, primeiro na avenida Liberdade e, mais tarde, no Largo de São Francisco.

Eu adorava ser professor. Dava aulas à noite, para alunos já cansados de longas jornadas de trabalho – como eu –, e procurava despertar neles a curiosidade e o fascínio que o mundo da contabilidade exercia sobre mim. Com o convívio, creio que ganhei o apreço daqueles jovens. Eu tinha pouco tempo em sala, e para turmas agrupadas, de modo que era preciso encontrar uma fórmula para ensinar rapidamente o que eu sabia. Entrava em classe e já propunha: hoje vamos abrir uma empresa. "Professor, eu não sei nem por onde começar", me diziam, alguns em pânico. Eu então os desafiava: o que fazemos primeiro? Lembro que uma vez um rapaz levantou o braço e disse:

– Bem, primeiro colocamos algum dinheiro na empresa.

Expliquei que dinheiro, em contabilidade, se chama capital. Mas o que faríamos com ele?

– Eu compraria uma máquina de escrever – respondeu outro.

Falei que então o capital estava sendo empregado em móveis e utensílios, bem feijão com arroz mesmo. Mas eu via nos olhos dos alunos que eles estavam aprendendo. Ficaram bons na matéria.

Durante o dia, eu trabalhava como auditor. Prestava serviços a uma empresa chamada Ratio, que pertencia ao economista José Maria Pinto Zilli, visitando firmas pequenas e médias que não existem mais. Foi um aprendizado riquíssimo para o que viria a ser a minha vida de investidor e, até ali, a função mais interessante que eu havia exercido. A Ratio me despachava para passar uma semana, às vezes mais, nas empresas, onde eu fazia varreduras nos livros contábeis. Foi nessas visitas, checando informações e conversando com diretores e funcionários, que comecei a entender e a refletir sobre o que significa ser dono de uma companhia, sobre o que é bom ou prejudicial à saúde do negócio.

E sobre algo maravilhoso: os dividendos.

Tendo cursado economia e contabilidade, eu sabia o que era uma ação – a menor parte de uma empresa, negociada em bolsa, um papel que, dependendo de sua natureza e da quantidade que se possui, pode conferir ao acionista direito a voto e participação nas decisões. No entanto, aquela passagem pelo universo empresarial ampliou meus conhecimentos. Entendi que, ao abrir seu capital, o dono pretende que seu negócio cresça por meio da admissão de novos sócios. Quando o negócio prospera e dá lucros, esses lucros são distribuídos entre os sócios e, naturalmente, o próprio dono tem o seu quinhão.

Esse mecanismo me pareceu algo quase mágico e, ao mesmo tempo, extremamente concreto. Eu não me sentia preparado para ser dono de uma empresa nem tinha capital para tanto. Mas poderia ser sócio de um negócio que considerasse um bom projeto comprando ações e, na hora devida, coletando os dividendos. E, da mesma forma que o dono da empresa não se desfazia de seus papéis, que afinal lhe outorgavam a propriedade, eu talvez pudesse ser dono de ações e guardá-las, para preservar minha participação. Também havia a possibilidade de, conhecendo um pouco melhor o mercado financeiro, apostar no bom desempenho de alguns papéis, comprá-los e vendê-los quando o preço estivesse mais alto, auferindo lucros nessa transação.

Não cheguei a comprar papéis das empresas que auditava – a maioria nem tinha capital aberto –, mas me ocorreu que poderia estudar o mercado em busca de outras que acolhessem meus investimentos.

Naquele momento, porém, guardei essa ideia em algum canto da minha mente. Eu levava uma vida dura, trabalhando o dia todo e dando aulas à noite, e voltava para casa extenuado. E chegar em casa não era exatamente uma experiência repousante.

———·———

Conheci minha primeira esposa, M., no curso de Contabilidade. Gostávamos dos mesmos assuntos, pegamos amizade e começamos a namorar. Nós nos casamos em janeiro de 1963, na Igreja de São Francisco de Assis, no centro da cidade – ela com um vestido de noiva simples, eu com o melhor terno que podia comprar naqueles tempos que ainda eram de aperto financeiro. Fomos morar com minha mãe, no primeiro apartamento que ela e eu havíamos comprado – aquele que adquirimos com o dinheiro da indenização da bombonière. M. trabalhava no Laboratório Fontoura, que produzia o famoso fortificante Biotônico, mas pediu as contas assim que engravidou, o que aconteceu logo que nos casamos. Com o dinheiro que recebeu ao deixar o emprego, ela nos ajudou – a mim e minha mãe – a quitar nosso apartamento. Sempre fui grato a ela por isso. Anos depois, quando esse imóvel foi vendido, devolvi a M., de quem já havia me separado, o valor correspondente ao que ela havia pago.

Infelizmente, nossas diferenças logo ficaram claras. Quando um casamento dá errado, raramente é por um motivo só, mas se eu tivesse que apontar um fator crítico diria que foi a gestão do dinheiro. Eu era econômico e sabia onde ia parar cada centavo

– exceto se esse centavo tivesse ido parar nas mãos da minha ex-mulher.

A princípio, achei que se tivéssemos uma casa só nossa, a situação poderia se acertar. Consultando os anúncios do antigo *Diário Popular*, um dia encontrei um sobrado à venda no nosso bairro, na rua General Sousa Neto. Eu me entendi com o proprietário e propus pagar o imóvel em 10 anos, durante os quais quitei religiosamente cada parcela. Minha mãe ficou desolada com nossa mudança, e éramos tão ligados que isso me entristeceu – mas não a ponto de eu desistir da ideia.

Ieda Maria, nossa primeira filha, nasceu ainda em 1963, e logo depois, em 1965, viria meu primeiro filho, Luiz. Mas meu relacionamento com M. só se deteriorava. Com a chegada das crianças, nossas despesas aumentaram. Eu passei a ser mais cauteloso ainda com os gastos, porém esbarrava na postura dela. Começamos a nos desentender de maneira extraordinária. Mesmo assim, tentamos reverter o cenário com uma viagem em família para São Vicente, no litoral paulista, onde nos hospedamos numa pousadinha simples. Nossos gêmeos, Luciano e Luciane foram concebidos nessa viagem e nasceram em 1969.

O casamento acabou pouco depois. Nós nos desquitamos – não havia divórcio na época – em meio a muito ressentimento. M. exigiu permanecer na casa com os nossos filhos, o que me pareceu mais do que justo. Eu disse a ela que poderia ficar naquela casa enquanto vivesse – e ela mora lá até hoje, no mesmo imóvel que reformei algumas vezes, para seu conforto. Ela determinou que eu veria as crianças uma vez a cada 15 dias, por algumas horas no período da manhã, e novamente concordei. Acertamos em juízo uma pensão o mais generosa possível para os meus ganhos na época. Saí dessa relação apenas com o carro, um velho Passat, e voltei a morar com minha mãe, que a essa altura tinha alugado aquele primeiro apartamento de dois quartos – para aumentar sua renda – e se mudado para uma quitinete perto do ateliê de costura onde trabalhava. A quitinete não tinha garagem, então o carro dormia na rua, sob os cuidados de um grupo de sem-teto a quem eu dava uma gorjeta para ficarem de olho.

De certa forma, eu voltara à estaca zero. Recém-separado, na casa da mãe, com quatro filhos pequenos e uma ex-mulher para sustentar, uma rotina desgastante entre empresas de auditoria e aulas noturnas. Em várias ocasiões, também reservava um tempo para levar M. ao mercado e a outras compras, pagando as despesas na boca do caixa – e assegurando, assim, que o dinheiro do mês seria suficiente. Era uma vida apertada, mas eu me esforçava para que nada faltasse a eles.

Estava claro, porém, que eu precisava buscar novas formas de ganhar dinheiro que não os empregos tradicionais que vinha arranjando.

Por volta de 1968, as auditorias que eu fazia pela Ratio começaram a escassear. Em busca de novas oportunidades, passei a frequentar com mais assiduidade a Ordem dos Economistas, à qual tinha me filiado pouco antes. Lá reencontrei Victor David, um colega de faculdade que se tornou um amigo para toda a vida. Victor acabou entrando para a política e no final dos anos 1980 tornou-se secretário das Administrações Regionais de São Paulo. Como diretores da Ordem, firmamos uma parceria com a Faculdade de Direito de Varginha – uma cidade média no sul de Minas Gerais – pela qual um grupo de economistas poderia fazer o curso lá em condições favoráveis. Recém-criada, a faculdade estava em busca de alunos, e, graças à parceria firmada com a Ordem, levamos quase 230 economistas para estudar em Varginha. Eu mesmo me formei nessa oportunidade. Era puxado: as aulas aconteciam nos fins de semana e saíamos de São Paulo na sexta-feira à tarde em tempo de participar das classes noturnas. Sábado era aula o dia todo e domingo estudávamos até a hora do almoço. Então retornávamos.

Foi mais ou menos nessa época – 1968, talvez um ano antes –, graças a um empurrão de Victor David, que comecei a frequentar a *Corbeille*, a bolsa de valores da época, onde se realizavam as transações mobiliárias. Naquele momento incipiente, eu mal podia imaginar a importância que a *Corbeille*, e tudo o que se sucedeu a ela, viria a representar na minha vida.

Na Ordem reencontrei também Modesto Stama, outro amigo que, sabendo das minhas dificuldades financeiras, me ofereceu um emprego bastante promissor: um cargo no DAEE, o Departamento de Águas e Energia Elétrica, uma autarquia criada em 1951 pelo governo de São Paulo para gerir os recursos hídricos do estado. Aceitei de bom grado, e o salário não era mau. Eu fazia parte de uma equipe que deveria definir o custo da água, o que me pareceu fascinante no início e impossível no final, já que não conseguíamos obter informações fidedignas para um cálculo contábil razoável. Mesmo precisando desesperadamente de dinheiro, passados alguns meses avisei a Modesto que queria sair.

– Você está louco, rapaz? – ele me interpelou, avisando que eu estava desprezando um "empregão", pois tinha tudo para me tornar o contador da estatal de águas que substituiria a autarquia.

Agradeci a oportunidade, mas mantive minha decisão. Nunca me interessei em trabalhar para o governo, porque eu achava que o funcionalismo público era mal pago e sempre alimentei a ambição de ganhar mais. Não pretendia ser assalariado a vida toda. E a verdade é que eu já tinha um plano.

A cada dia eu estava mais interessado na *Corbeille*. Mesmo com pouco dinheiro para investir, eu vinha estudando o comportamento do mercado e, pouco a pouco, me enamorando da ideia de comprar ações com vistas a obter dividendos ou, por que não, ganhos mais imediatos negociando papéis voláteis.

Eu era um homem que chegava aos 30 anos e suspeitava que dentro de mim houvesse certo apetite pelo risco que aqueles empregos todos não satisfaziam. Talvez a *Corbeille* tivesse algo para mim. Talvez.

3

O INVESTIDOR INICIANTE

"Eu não tinha gana de enriquecer"

Quando digo que não fiquei rico da noite para o dia, gosto de lembrar aos meus interlocutores que eu frequentava a bolsa no tempo da *Corbeille*. Essa palavra de origem francesa designa um cesto de forma arredondada no qual se acomodam flores ou outros presentes. Pois o balcão onde se faziam negócios naquela época, anos 1960, tinha esse formato. Era de madeira e ao redor dele se acotovelavam corretores engravatados, alguns até de chapéu, a maioria em pé, alguns sentados. No centro do círculo, acomodados em pequenas mesas, toda manhã os diretores anunciavam os papéis à venda por ordem alfabética. "Letra A", dizia um deles, a voz forte ecoando pelo salão. E começava a listar as empresas: Aços Villares! Antarctica! Depois, B: Brahma! Belgo Mineira! A cada companhia nomeada seguia-se uma gritaria de "Eu compro!" e "Eu vendo!". Quando o barulho arrefecia, um diretor perguntava se alguém mais tinha algum negócio a fazer. Caso ninguém se manifestasse, o pregão prosseguia com a letra seguinte.

Hoje, com o olhar de quem opera com *home broker*, mais frio e distante, aquilo me parece quase folclórico. Para se fazer ouvir no meio do tumulto, era preciso falar muito alto. Se havia alguma operação importante prevista para certo dia e a imprensa comparecia, os gritos eram mais fortes ainda, quase como uma representação teatral. Eu nunca fui de gritar, mas, ainda que não gritasse, vivia rouco – afinal, mesmo sem voz forte, precisava me fazer ouvir. Tive problemas de garganta durante muitos anos, o que só melhorou quando um cliente me apresentou o extrato de própolis. Uso até hoje, todos os dias. Mesmo não havendo mais pregão viva voz.

Era agitado e emocionante, mas também se podia chamar aquilo de mercado de peixe ou fábrica de loucos. A *Corbeille* fervia na razão direta em que algum papel começava a ter uma presença mais dinâmica ou se tivessem vindo à tona os bons resultados de uma empresa que fizera ampliações e daria bonificações ou faria novas subscrições. Não havia, claro, internet ou celular, mas as informações circulavam depressa, no *tête-à-tête*.

Depois de deixar o emprego no Departamento de Águas, passei a ir à *Corbeille* todos os dias. Nos primeiros tempos eu não podia operar, então ficava à margem do círculo, observando o movimento, e comprava ações com o auxílio de um operador. Tinha pouquíssimo dinheiro para investir, dinheiro suado, poupado das atividades de auditoria ou amealhado nas aulas que eu não tinha deixado de dar. No entanto, qualquer quantia que sobrasse eu aplicava em ações. Acho curioso quando alguém me aborda com aquela conversa de "Ah, para comprar ações é preciso ser rico". Bem, eu conheço uma pessoa que era pobre e enriqueceu comprando ações ao longo de mais de 50 anos.

Eu mesmo.

Naquele momento eu não pensava nisso. Não tinha ganas

de enriquecer. Tinha necessidade de melhorar minha renda. E achava que aquele poderia ser um caminho.

Quando os diretores anunciavam algum papel que eu queria ter na minha carteira incipiente, o operador comprava para mim e à tarde acertávamos as contas na corretora. Naquela época, as negociações eram feitas por meio de títulos ao portador representados por cautelas. As cautelas, documentos representativos do capital social da empresa, circulavam como notas. Há quem atribua a elas o fato de até hoje nos referirmos às ações como "papéis" – naquele tempo, o papelório das cautelas atestava fisicamente a compra. Elas desapareceram no início da década de 1990, substituídas por cartões magnéticos que informavam quanto se comprou, quem vendeu e por qual valor. Foi a primeira automação da bolsa paulista, feita por meio de um sistema chamado CATS, sigla para Computer Assisted Trading System.

A *Corbeille* funcionava desde 1934 no Pátio do Colégio, no coração da cidade, num prédio cedido pelo governo do estado de São Paulo. Ficava num salão grande, ao qual se chegava por uma escadinha. Só deixou de funcionar dessa maneira mais para o fim dos anos 1960, quando, graças a uma avalanche de estímulos governamentais, ficou apertada para o tanto de gente que aparecia querendo negociar papéis. Foi substituída por cinco postos espalhados pelo mesmo salão. Cada um deles negociava um elenco de atividades. No posto 1, por exemplo, eram apregoados os papéis de instituições financeiras: bancos, sociedades de crédito e similares (na época, havia muitas dessas instituições, bem diferente do cenário de alta concentração de hoje). O posto 2 ofertava papéis de empresas de celulose, adubos, etc. E por aí vai. As cotações eram escritas numa lousa, com giz, por funcionários que passavam o dia meio dependurados num balcão, apagando e retocando os números à medida que as negociações evoluíam.

A bolsa também vinha passando por grandes transformações desde o início dos anos 1960, e a substituição da *Corbeille* pelos postos de negociação foi a menor delas. Em 1964, o governo havia criado o Banco Central e o Conselho Monetário Nacional (CMN), responsáveis pela supervisão das bolsas. Surgiram os títulos com correção monetária e o *open market*. Muitos dizem que o mercado de capitais teve início nessa década.

Até então, a bolsa negociava sobretudo títulos públicos. Não havia sociedades corretoras, apenas corretores de títulos públicos nomeados por decreto estadual que exerciam o cargo de modo vitalício, passando-o de pai para filho. No entanto, crescia o interesse dos investidores pelos títulos de empresas, ou seja, pelas ações das sociedades anônimas. Em 1965 o governo militar criou o Sistema Financeiro Nacional, relacionando todas as instituições em uma escala de grandeza até chegar à Distribuidora de Valores Mobiliários. Para regular o setor, o governo baixou a lei nº 4.728, batizada de Lei do Mercado de Capitais. A nova legislação trazia muitas medidas desenvolvimentistas. Os corretores oficiais, aqueles com cargo vitalício, foram obrigados a se tornar sociedades corretoras. O CMN abriu inscrições para a compra dos títulos que dariam direito a formar as tais sociedades, sendo que o número da inscrição corresponderia ao da corretora. A número 1 foi a Magliano, pertencente a Raymundo Magliano, figura de proa nas negociações da bolsa.

As bolsas se tornaram sociedades civis, onde atuavam, como associadas, as recém-constituídas corretoras. Só estas tinham autorização para operar no pregão viva voz. Havia também as distribuidoras, mas estas não podiam atuar diretamente no pregão, limitando-se a operar por meio das sociedades corretoras – outra forma de negociar, fora do ambiente de listagem da bolsa. Cada corretora possuía a sua estrutura operacional, seu elenco de operadores e também auxiliares de pregão, que conduziam as ordens de compra e venda, ajudando os operadores.

Em 1967, o decreto-lei nº 157 inaugurou uma configuração bastante favorável ao mercado de capitais no Brasil, permitindo que o cidadão, quando fosse declarar renda, utilizasse parte do imposto devido na compra de ações. Assim, se o sujeito tinha 1.000 reais a recolher, poderia investir, digamos, 100 no mercado financeiro (a moeda era outra, claro, mas neste livro algumas vezes optarei por me referir ao real sempre que não houver comprometimento da informação, para facilitar o entendimento do leitor). O governo pretendia, dessa forma, gerar uma cultura de investimentos de médio e longo prazo que avivasse o mercado de ações e, naturalmente, capitalizasse as empresas, como forma de impulsionar seu crescimento e produzir riqueza. Seria, no entender de muitos, a consagração do mercado de ações brasileiro. Contudo, um banqueiro bem relacionado com militares convenceu-os de que o brasileiro não ostentava capacidade nem conhecimento suficiente para adquirir ações. Sugeriu então criar o Fundo Fiscal 157, onde os recursos, em vez de serem diretamente aplicados por investidores individuais, passariam a ser administrados pelos bancos. Estou convencido de que, graças a esses fundos, o país não tem hoje uma mentalidade de médio e longo prazo no segmento acionário.

Nos anos seguintes o governo liberou rios de dinheiro para diversas instituições financeiras. Porém esse dinheiro só poderia ser investido em ações, e a bolsa, embora viesse se expandindo havia já alguns anos, ainda tinha na época uma quantidade modesta de empresas de capital aberto. Os bancos então começaram a estimular a abertura de capital de empresas. Algumas, como a Sadia, o fizeram com grande sucesso. Outras entraram na onda sem a menor vocação: não tinham cultura para abrir capital nem noção da responsabilidade embutida nessa decisão.

O forte estímulo à compra de ações causou um verdadeiro boom na bolsa. Com isso, a negociação de títulos públicos, que já vinha decaindo, foi superada de vez pelos papéis acionários (os últimos negócios com títulos públicos em bolsa de valores foram registrados em maio de 1974).[1] Só em 1969, o volume de negócios nas bolsas de São Paulo e do Rio de Janeiro cresceu 480% em relação ao ano anterior. Mas não se pode dizer que a tal cultura de investimentos a médio e longo prazo estivesse fortalecida. "Os investidores não entendiam nada de bolsas", recordou em entrevista Raymundo Magliano Filho (1942-2021), filho do velho Magliano e ex-presidente da Bovespa (como a bolsa veio a se chamar em 1967, até ser incorporada na criação da atual B3). "Lembro que clientes faziam cheques e jogavam por debaixo da porta, quando o escritório estava fechado para o almoço, e depois pediam que comprássemos ações, quaisquer que fossem."[2] Para se ter uma ideia da popularidade da bolsa, os pregões de São Paulo passaram a ser transmitidos pela hoje extinta TV Tupi.

Eu estava por lá, e cada vez mais entusiasmado. E, diferentemente da maioria dos "investidores" atraídos pelos estímulos

---

[1] Ignácio de Loyola Brandão, *Bolsa de Valores de São Paulo: 110 anos*. DBA, 1999.
[2] Marta Barcellos e Simone Azevedo (orgs.), *Histórias do mercado de capitais no Brasil*. Alta Books, 2018.

governamentais, já atuava com alguma convicção do que poderia ser o melhor para mim.

Comecei adquirindo pequenos lotes de ações, ainda de maneira muito tímida. Curiosamente, não tenho lembrança exata do primeiro papel que comprei. Pode ter sido das Indústrias Villares, fabricante de elevadores; da Manah, que produzia fertilizantes; da Companhia Cacique de Café Solúvel; da Belgo Mineira; talvez da Vale do Rio Doce. Mesmo naquela época, antes que desenvolvesse e detalhasse minha filosofia de investimentos, eu já fazia compras com base nos balanços das empresas e nas informações disponíveis sobre elas, publicadas sobretudo em jornais, que eu lia todo dia. Na maior parte das vezes, confesso que comprava ações pensando em vender no momento em que subissem, de modo a obter bons lucros. Mas também tentava investir em alguns papéis que pudesse reter, acreditando no pagamento de dividendos.

Por exemplo, eu adorava a ideia de ter papéis do Banco do Brasil – que sempre pagou dividendos polpudos porque, naquela época, tinha uma base acionária muito pequena. Sem falar nas bonificações de 200%! Não havia quem não desejasse possuir ações com essa característica. Não me parecia que nada de ruim pudesse sobrevir a um banco criado pela família real portuguesa em 1808 e que àquela altura tinha acompanhado o desenvolvimento do nosso país ao longo de quase dois séculos. Além disso, eu acompanhava a contabilidade do banco por meio dos balanços e sabia que o BB precisava amparar a Previ, a caixa de previdência de seus funcionários. Se tinha que distribuir dividendos para manter a Previ, também era obrigado a beneficiar os acionistas.

De qualquer modo, quer fossem do Banco do Brasil ou de

qualquer outra empresa, eram sempre pequenas quantidades – 100, 200 ações.

Dia e noite, eu pensava em como potencializar meus ganhos. Uma das boas ideias que tive, modéstia à parte, foi comprar ações com desconto no chamado mercado fracionário.

Para entender como funcionava na época, é preciso lembrar que os papéis já eram comercializados em lotes redondos de 100 ações, mas muitos vendedores tinham cautelas com quantidades "quebradas". Se o comprador desejava adquirir 5 mil ações mas o vendedor tinha uma cautela com 5.080, não havia muito que fazer com as 80 restantes, ou lote quebrado. Para dar liquidez a esses eventuais "fatiamentos", a bolsa os legitimou com a criação do chamado certificado de desdobramento. Enxerguei ali uma grande oportunidade de fazer dinheiro e passei a me oferecer para comprá-las – com um desconto de 50%, porque afinal o fracionário não era o lote-padrão. Eu comprava tudo com desconto e ia juntando uma montanha de papeizinhos, os tais certificados, até chegar às 100 do lote-padrão. Então eu vendia pelo valor cheio, tendo pago a metade.

Uma historinha quase anedótica.

Como eu tinha fama de comprar de tudo, certo dia fui procurado por um camarada que tinha 170 ações de um laboratório farmacêutico chamado Squibb, fabricante de penicilina. Fazia mais de um mês que ele tentava vender os papéis, que eram de dois clientes e por isso não compunham um lote-padrão. Concordei em comprar, desde que pelo valor fracionário. Fechamos negócio a preço de banana.

As ações da Squibb eram nominativas, o que, no nosso sistema primitivo, fazia com que as cautelas levassem meses para chegar às mãos do comprador. Parei de pensar no assunto. Então, um belo dia, a Squibb foi vendida para outro laboratório, o qual mais tarde foi incorporado à gigante Bristol-Myers, que depositou um dividendo extraordinário aos donos de papéis, mesmo antigos. Era algo como 10 vezes o que eu havia pago originalmente, em valor corrigido. Uma pena que eu tinha poucos.

Era o tipo de coisa que acontecia comigo naquela época, e ainda hoje acontece.

Mantive esses papéis por muitos anos, recebendo sempre um valor espantosamente desproporcional ao que havia pago por eles. A certa altura achei que tinha auferido o suficiente e "dei" as ações de presente para a empresa quando esta fez uma proposta para comprá-las de volta.

—·—

Quando se está na fase de construir patrimônio, não é fácil manter o foco em reinvestir os dividendos na própria carteira. Durante algum tempo, quando se começa a investir em ações e se tem pouco dinheiro, o fluxo de caixa é quase que "da mão para a boca", como se diz popularmente. Com o emprego que eu tinha na época, não entrava dinheiro em abundância, mas era o suficiente para administrar meus compromissos, e tudo, absolutamente tudo o que sobrava se convertia em algum papel promissor.

Eu me empenhava em descobrir empresas que pagassem bons dividendos. Parecia que nesse "detalhe" estava a chave que me levaria para cada vez mais longe do aperto financeiro. Se eu tivesse ações dessas companhias, de tempos em tempos receberia proventos sem ter que me desfazer dos papéis, compondo o que comecei a chamar de carteira de renda mensal. Vez ou outra, quando vislumbrava alguma oportunidade, um papel que possivelmente subiria depressa, ainda comprava para vender logo. Era algo raro e nem sempre eu acertava, porém, com o tempo, passei a empregar esse lucro na aquisição de mais ações das boas empresas que me pagavam dividendos. Nunca foram muitas, mesmo porque eu precisava me manter bem informado sobre todas, o que consumia bastante tempo e energia. Ainda hoje, tenho poucas no meu portfólio – algo entre 10 e 12, dependendo do momento.

Eram tempos em que eu ainda observava muito, falava pouco e comprava com discrição. Na fauna do pregão, eu tinha identificado um investidor inteligentíssimo, um estrategista de primeira linha. Chamava-se Herbert Cohn e era um operador solitário, independente, sem conexões com a bolsa ou com outras instituições financeiras, bem-humorado e comunicativo. Seu objetivo era alcançar os melhores resultados para seus clientes e nisso era praticamente imbatível, pois, além de tino e conhecimento de mercado, tinha amplo acesso às corretoras. Astuto, Herbert conseguiu impulsionar um sem-número de papéis desconhecidos criando o que o mercado passou a chamar de "espiral de alta". Primeiro, ele verificava quantas ações haviam sido emitidas por determinada empresa e estavam disponíveis para compra. Então fazia um cálculo de quantas precisava adquirir, e em seguida vender, para promover altas pequenas mas constantes no preço dos papéis. Comprava ações a 4,01 e vendia a 4,03; daí a algumas horas, ou no dia seguinte, comprava a 4,05 e vendia a 4,07, sempre na quantidade suficiente para manter o ritmo de alta e encher de dinheiro o bolso de sua clientela. Foi com essa estratégia caprichosa e brilhante que ele fez com que florescessem papéis da construtora Adolpho Lindenberg, da editora de guias MTB e de tantas outras.

A princípio, eu apenas o observava. Um dia venci a timidez e me aproximei, perguntando se podia me explicar como fazia. Falei que o admirava e gostaria de entender melhor a dinâmica que ele criava. Herbert era um pouco mais velho do que eu, certamente muito rico, mas um homem simples e generoso que vivia para o mercado de ações. Ele me explicou sua estratégia, lembrando que também era possível criar espirais de baixa, mas estas não lhe interessavam: ele queria mesmo era ver os papéis subindo, pois assim ganhava mais para si e para seus clientes.

Tenho muito orgulho de dizer que o conheci, convivi com ele por três anos mais ou menos e aprendi tudo o que pude com aquele homem extraordinário que morreu jovem, em 1974, com apenas 48 anos. Nunca pude lhe dizer que foi meu mentor, e lamento que seu nome seja pouco conhecido nos dias de hoje. Uma das raras menções a ele está em um pequeno livro chamado *100 Personalidades da história do mercado de capitais brasileiro*, uma publicação comemorativa da revista *Capital Aberto*, de 2011. Lá está escrito que Herbert era "um formador de mercado (*market maker*) independente [...] Usava grande quantidade de corretores, tanto em São Paulo quanto no Rio, cruzando ordens de compra e venda e ativando as negociações".

Mas a grande lição que aprendi com Herbert Cohn pode ser resumida numa frase: ao operar determinado papel, é preciso conceber e aplicar uma estratégia que resulte em alta e lucro. Pode dar errado, pode ser insuficiente, mas ter uma estratégia é sempre melhor do que a aventura de arriscar sem qualquer fundamento. Parece óbvio escrito dessa maneira, da mesma forma que hoje pensamos com naturalidade na linha de montagem de uma indústria, em que cada operário se especializa em uma fatia da operação. No entanto, não era assim antes de Henry Ford, o fundador da companhia de automóveis que leva seu sobrenome, imaginar que pudesse ser – e concretizar a ideia. Naqueles tempos incipientes do mercado de ações, em que tantos se deixavam encantar pelo *trade*, ou seja, pela negociação rápida de papéis voláteis, e pela comoção do pregão, a forma de operar de Herbert Cohn, com suas sofisticadas espirais de alta, era quase revolucionária.

Uma última nota sobre ele: como se lê no livrinho que mencionei há pouco, Herbert foi pioneiro na função de *market maker*, também chamado agente de liquidez ou formador de mercado. A função foi regulada pela Instrução CVM nº 384, de março de 2003, quase 30 anos depois da morte de meu mentor. Deve ser realizada por pessoa jurídica cadastrada na B3.

4
O SÓCIO DE CORRETORA
"A experiência que me afastou do que eu fazia melhor"

No limiar dos anos 1970, com a enxurrada de dinheiro que entrava graças aos Fundos 157, a bolsa finalmente ganhou sede própria. Comprou-se o prédio do antigo Banco Mercantil de São Paulo, que ocupava os números 151 e 165 da rua Álvares Penteado, e iniciou-se uma reforma, que seria concluída em 1972. Antes, houve uma boa polêmica sobre transferir a bolsa para a região da avenida Paulista, onde começavam a se concentrar as grandes instituições bancárias e as sedes das empresas. Venceu o grupo que favorecia manter a tradição, e a bolsa continuou no centro da capital paulista – onde opera até hoje.

A bolsa que conhecemos atualmente é uma sociedade de capital aberto, mas naquele momento funcionava como um clube. Os associados eram as sociedades corretoras, que haviam substituído o velho sistema dos corretores de títulos públicos. Abertas as inscrições, 134 títulos foram emitidos, dando origem a 134 sociedades, em que o número correspondia à inscrição. Desaparecia assim o sistema "de pai para filho". Só elas podiam operar.

Naquele momento de grande efervescência, julguei ser chegada a hora de me aproximar de verdade do mercado de capitais, para além das minhas idas frequentes mas de certa forma descompromissadas, desde os tempos da *Corbeille*. Eu me associei a Danilo Dalla Ninna, Fábio Benatti e Vicente D'Atria, três profissionais que tinha conhecido no ambiente do pregão e com quem formara laços de amizade. Juntos criamos a corretora Cruzeiro do Sul, agraciada com o número 104. Minha participação no negócio era pequena – algo como 10% ou 12%, mas, pela primeira vez, eu era sócio de corretora.

Auditorias e salas de aula eram, definitivamente, coisa do passado. Agora eu atuava com autoridade e representava terceiros por meio da Cruzeiro do Sul.

—·—

Nosso pequeno negócio funcionava numa salinha num prédio na esquina da Praça da Sé com a rua XV de Novembro. Danilo, Fábio e Vicente se dedicaram aos títulos de renda fixa e aos bônus rotativos, algo que nem existe mais. De investidor que comprava por meio de operadores, eu me tornei um operador. De nós três, fui o único que me mantive no dia a dia do pregão.

O Brasil possuía na época 20 bolsas de valores,[3] em vários estados, que mobilizavam cerca de 400 sociedades corretoras. Mas não demoraria até a Bolsa de Valores de São Paulo se revelar a maior do país. O que fazia todo o sentido: a São Paulo daquele tempo era uma metrópole pujante com quase 6 milhões de habitantes. Foi quando surgiu o pregão de viva voz, que perdurou até 2010.

---

3 Brandão, *Bolsa de Valores de São Paulo: 110 anos*.

Eu era um bom operador. Minha experiência anterior comprando papéis para mim mesmo em escala modesta, aliada à leitura crítica dos balancetes das empresas que a formação em contabilidade me preparou para fazer, me predispunha a acertos que causavam espanto, talvez alguma admiração, entre os colegas de pregão. Pela primeira vez me vi com dinheiro suficiente para comprar um carro novo – um Volkswagen TL, duas portas, bege, e me lembro de, orgulhoso, levar meus filhos a passeio nele em um dos poucos momentos que tínhamos juntos.

Com o evoluir dos negócios, adquiri um Del Rey 1972 novo, branco, o que acabou levando minha ex-mulher a me chamar em juízo. Desejava um aumento na já abonada pensão alimentícia que eu pagava aos meus filhos.

Aquilo caiu como uma pedra sobre a minha cabeça. A meu ver, eu sempre tinha agido com idoneidade e cumprido todas as exigências dela. Pouco tempo antes, já com o caixa um pouco mais reforçado, eu havia bancado a reforma da casa onde ela morava com nossos filhos e até a compra de móveis novos. Compareci à primeira audiência com um advogado e amigo, um cidadão a quem chamávamos de Chico Bom Coração, por razões óbvias. "Barsi, vou com você só para que possa dizer que levou advogado", Chico me falou. "Você também é formado em Direito, sabe o que tem que dizer."

Ao entrarmos, à cabeceira da mesa havia uma juíza. Pensei na proverbial solidariedade feminina e calculei que, embora fosse injusto, não havia a menor chance de aquela audiência acabar de maneira favorável a mim. Depois que minha ex-mulher expôs seu ponto de vista, a juíza pediu que eu me manifestasse. Expliquei que eu não tinha salário fixo, e sim ganhos de corretagem de ações, e que mesmo assim dava uma boa quantia a ela e a meus filhos. Acreditava que levassem uma vida bastante satisfatória. A juíza então se virou para M.

– É verdade o que ele está dizendo?

– É verdade – confirmou minha ex. – Ele compra tudo o que tem que comprar, inclusive reformou a casa. – E, para minha completa surpresa, passou a listar o que eu fazia.

– E por que a senhora quer mais? – indagou a juíza.

– Porque ele comprou um carro novo.

A sentença me favoreceu e o valor da pensão foi mantido, o que, no entanto, não ajudou a pacificar nossas relações. Meus filhos se afastaram de mim, e levou décadas até que pudessem olhar para a separação dos pais sem rancor, compreendendo que não era eu contra ela nem ela contra mim – éramos apenas muito diferentes, o que tornava a convivência diária praticamente impossível.

A "melhora de vida" que havia produzido essa disputa judicial tinha relação com meu status de sócio-proprietário de corretora. Estava dando tudo certo, mas eu não andava contente. Fui me dando conta de que não apreciava a experiência de ser dono; de certa forma, as responsabilidades administrativas me afastavam do que eu realmente gostava de fazer e fazia bem.

Em junho de 1971, na esteira de uma sucessão de incorporações entre corretoras, vendemos a Cruzeiro do Sul para um grupo de Minas Gerais e migrei para a Montanarini, onde poderia atuar de modo independente, para mim e meus clientes, como operador. Ao contrário do que muitos pensam, não enriqueci como sócio de corretora. Tive duas alegrias nesse processo: uma quando montei a Cruzeiro do Sul, outra quando a vendi.

Pouco a pouco, fui me tornando uma figura conhecida e alguns vinham me perguntar o que eu estava comprando e vendendo. Graças a essa pequena fama, um dia Nello Ferrentini (1935-2016), diretor-gerente e acionista do *Diário Popular,* jornal respeitável com sede na rua do Carmo, que depois se mudaria para a Major Quedinho, no antigo prédio do *Estadão,* me perguntou se eu não gostaria de redigir um artigo sobre o mercado. Eu conhecia Nello da Ordem dos Economistas e o convite me pareceu lisonjeiro. Até então, ninguém havia escrito sobre bolsa nos jornais brasileiros – fui pioneiro. Meu primeiro artigo foi publicado no dia 11 de abril de 1971 e se intitulava "Mercado de capitais". Nele, eu comentava o desempenho dos principais papéis da bolsa na semana anterior e reunia informações que a maioria dos investidores teria dificuldade em garimpar. Eram textos assim:

> Brasmotor S/A tem apresentado boa negociabilidade durante o transcorrer das duas últimas semanas, tendo o preço de suas ações variado entre Cr$ 1,81/2,05. Seu balanço anual acusou um lucro por ação de Cr$ 0,27, reservas de 59,3%, valor patrimonial da ação Cr$ 1,45, taxa de lucratividade nos últimos 12 meses de 48,4%, na última quarta-feira, negociada a Cr$ 1,97, seu PL era de 7,30.

Com o tempo fui aprimorando minha técnica de escrita e passei a terminar os artigos com algum "gancho" para a coluna da semana seguinte, criando certo suspense sobre o desempenho de um ou outro papel.

A repercussão foi tão boa que Nello me convidou a escrever textos semanais. Não apenas aceitei como, à medida que a bolsa se popularizava e ganhava mais e mais investidores (e especuladores também), me tornei editor quando o jornal decidiu criar uma editoria de mercado de capitais e, mais tarde, de economia.

Eu ficava o dia todo entre a bolsa e as corretoras onde atuava e à noite ia para a redação fechar o jornal. Passava pouco mais de uma hora lá – era o suficiente, já que muitas vezes escrevia meus textos durante o dia, em momentos de calmaria no mercado. No jornal, tinha uma mesa e uma Remington. Como no pregão, trabalhava muito sozinho, mas gostava do convívio com outros jornalistas. Pensávamos nas pautas, cada um fazia o seu trabalho e ao final eu aprovava tudo.

Durante 17 anos, até 1988, todas as noites dei expediente no *Diário Popular* fechando a editoria e escrevendo análises sobre papéis que tinham subido ou descido. Parei quando o jornal foi vendido, mas, do ponto de vista pessoal, era o momento certo: eu não queria mais aquele compromisso. Vale dizer que a parceria com Nello continuou quando ele fundou a editora Referência, que publicava uma revista chamada *Marketing* – na qual também contribuí durante cerca de dois anos. Não sou jornalista, mas aprecio escrever, e o assunto, sempre mercado de capitais, bem, não preciso dizer que me fascina.

Criei o hábito de enviar a alguns clientes trechos do que eu escreveria no jornal, e a turma começou a gostar. Falava de papéis que tendiam a subir, numa análise bem técnica e detalhada, sem jamais recomendar a compra – algo que, eu acreditava, deveria ser do arbítrio de cada um. Creio que essa postura me ajudou a angariar novos clientes, para quem eu aplicava, mediante ganhos de corretagem. Eu também recebia um pequeno fixo da Montanarini. Aplicava absolutamente tudo o que sobrava, como fizera desde o início. Estava em um bom momento.

Também na minha vida amorosa havia sinais de renovação. Já não lembro exatamente como conheci C., mas fato é que nos demos bem e logo começamos a sair. Eu gostava de agradá-la com gestos simples, como levá-la de carro para pegar o ônibus até o trabalho. Pegamos amizade, nosso namorou engatou e ficamos mais de 20 anos juntos, até o começo dos anos 1990.

Para o nosso tempo, era um relacionamento moderno – cada um na sua casa nos dias úteis, juntos no fim de semana. Eu morava com minha mãe, que aprovava o namoro e costumava dizer que C. era uma mulher tranquila e trabalhadora, "uma boa pessoa". C. também morava com a mãe dela e era arrimo de família.

Nossa relação chegou ao fim de tanto eu insistir que nos casássemos – eu ansiava por uma vida em família, algo que havia experimentado por tão pouco tempo e de maneira turbulenta. Ela, porém, não se sentia confortável em deixar a mãe. E assim, de comum acordo, terminamos. C. chegou a ter algumas aplicações financeiras comigo, mas o tempo e a vida nos afastaram, o que não afeta em nada a delicadeza do que vivemos.

Então, quando eu parecia ter encontrado certo equilíbrio, o mercado de capitais teve um rebote.

—·—

Se no fim dos anos 1960 a bolsa tinha vivido um período fervilhante, o início dos anos 1970 ficou marcado por grande dificuldade – há quem fale em *crash*, mesmo. Muitas das empresas que tinham aberto seu capital sob o estímulo da dinheirama dos Fundos 157 não estavam à altura do desafio e simplesmente deixaram de operar. Em outra frente, o governo mostrou-se perdulário e negligente com a fiscalização do dinheiro desses fundos. *Grosso modo*, os recursos se esgotaram, a movimentação foi escasseando e o dia a dia no mercado ficou difícil para quem, como eu, vivia de comprar e vender.

Naquele momento, a saída que encontrei foi operar de maneira direta para algumas das poucas empresas que mantiveram papéis em bolsa. A título de exemplo, passei vários meses concentrado em comprar ações da Ripasa, empresa de papel e celulose com sede em Limeira, no interior de São Paulo, controlada por três famílias (nos anos 2000, a Ripasa foi adquirida por um consórcio entre a Suzano e a hoje extinta Votorantim Celulose e Papel, a VCP).

Embora atuasse no mesmo ramo que a Klabin, que ia de vento em popa, a Ripasa não decolava. Um dia, Osmar Elias Zogbi, o principal executivo da empresa, me chamou para uma conversa na sede, no centro de São Paulo, e me pediu que agisse como *market maker* – à maneira de meu mentor, Herbert Cohn. Nessa função, eu deveria garantir ofertas de compra e venda dos papéis da empresa de maneira ininterrupta durante todo o pregão. Aceitei, claro. Acho importante lembrar que naquela época as regulamentações eram frouxas, e práticas como essas, que seriam condenáveis hoje, eram consideradas normais. Graças à minha atuação em prol da Ripasa, ganhei dos meus colegas o apelido de "ripólogo". Se um camarada se aproximasse de mim e dissesse "Barsi, Ripasa", eu respondia indicando uma orelha, depois a outra: "Comprar ou vender? Porque este ouvido aqui é de compra, e o outro é de venda." Todos achavam muita graça.

Brincadeiras à parte, passei uns seis meses trabalhando com a Ripasa, inspirado na estratégia de Herbert Cohn, comprando e vendendo com diferenças mínimas, com efeito prático apenas na liquidez da ação. Também comprava ações para mim, pois a empresa dava lucro e pagava bons dividendos. Só parei de negociar esses papéis quando o irmão de Osmar, que tinha uma distribuidora na bolsa, queixou-se da competição.

Quando alguns fundos começaram a comprar Ripasa, o valor da ação quintuplicou. Vendi tudo com um lucro muito bom e comprei uma concorrente da empresa, a Papel Simão, que no pregão nós, operadores, chamávamos de "Simon Paper". As ações da Simon Paper custavam 20% do valor das da Ripasa, de modo que aos poucos consegui montar uma boa posição.

Por causa dessa posição, fui convidado a ouvir uma palestra do então presidente da Simão, um senhor de maneiras educadas que, apresentado a mim, quis saber por que os papéis da Ripasa tinham subido tanto, e os de sua empresa, não. Foi um constrangimento, porque eu sabia, mas não queria revelar: era maledicência do Dr. Osmar, da Ripasa. Sempre que um analista lhe perguntava sobre as ações da Simão, o Dr. Osmar dizia: "Ótima empresa, mas muito endividada."

Assim, os papéis ficavam no limbo e a Ripasa, que também tinha sua cota de endividamento, passava por empresa mais saneada. Pressionado, acabei revelando a história. Nunca soube exatamente o que houve, mas no dia seguinte o irmão do Dr. Osmar – aquele que tinha a distribuidora – fez uma grande compra de papéis da Simão. As ações dispararam e eu as retive por mais de uma década, porque pagavam bons dividendos.

A bolsa só começaria a se recuperar desse *crash* em 1974, quando as empresas inadequadas foram saindo e as boas se consolidaram, estabelecendo certo equilíbrio no mercado. Mas, até isso acontecer, vivemos dias sombrios. Na Bolsa de Valores do Rio de Janeiro, que concentrava grande quantidade de ações por causa da presença de empresas estatais, o volume de negócios caiu de 1,186 bilhão de cruzeiros em 1971 para 166 milhões em 1973. Há muitas histórias folclóricas dessa época, como a do corretor que inventou uma empresa e começou a vender ações de mentirinha, convencendo alguns compradores até que, às gargalhadas, assumiu a brincadeira. O mais terrível é que houve quem fizesse isso *de verdade* – empresas que não existiam ou eram apenas projetos. Muita gente perdeu um bom dinheiro nesse tempo. Se até ali o clima havia sido de euforia, com alguns papéis registrando altas de 300%, até 400%, em 12 meses, o *crash* instalou a desconfiança nas relações entre mercado e investidor.

Como eu era pequeno na época, não fui afetado pela queda brutal das cotações naquele ano de 1971. Eu comprava o equivalente a 500, às vezes 1.000 reais por mês, em ações. Meu amigo Lirio Parisotto, empresário que mais tarde enriqueceria com a Videolar, empresa de produção de fitas para gravadores e videocassetes, quebrou pela primeira vez justamente nessa ocasião. Fascinado pelas notícias de gente enriquecendo da noite para o dia, ele havia investido na bolsa todo o pouco capital que tinha – na época, suficiente para comprar um Fusca zero – e dois anos depois sacou uma quantia que mal pagava um jantar decente.

Embora não tivesse perdido dinheiro, eu estava aborrecido – e ao mesmo tempo intrigado – com aquele cenário. Eu entendia que as bolsas poderiam ter um papel importante no desenvolvimento das empresas e, por extensão, do país e que a postura irresponsável de alguns prejudicava a imagem de todo o mercado de capitais. Também tinha vontade de comprar mais e mais naquele tempo em que os papéis custavam centavos e eu enxergava boas empresas com cotações lá embaixo. Infelizmente, ainda não tinha capital para isso.

Mas alguns tinham, e essas histórias nem sempre acabavam bem.

5

O EQUILIBRISTA

"Tempos de transações esquisitas"

O *crash* no mercado ia na contramão do momento vicejante do país. Para a classe média, o milagre econômico de fato acontecia, e nem poderia ser diferente com o PIB crescendo a 14% ao ano, como em 1973. Inaugurada em 1976, a Rodovia dos Imigrantes, com seus viadutos e túneis que pareciam quase impossíveis, falava de um país de futuro, orgulhoso também da Transamazônica e da expansão de suas cidades. No futebol, tínhamos Pelé, Tostão e Rivelino, e a taça do tricampeonato mundial conquistada no México em 1970. No tênis, o esporte que eu mais admirava, Maria Esther Bueno continuava destroçando suas adversárias em quadra. Tudo parecia promissor.

Nos anos após o *crash*, a bolsa de São Paulo viveu tempos de ressaca. Havia algum entendimento de que o investidor não estava informado sobre o conceito por trás do mercado de capitais, tendo aplicado a esmo, como se a bolsa fosse um imenso cassino. Todos conhecíamos famílias que tinham vendido propriedades para comprar ações esperando que a bolsa fizesse sua mágica. Bem, deu no que deu.

Na tentativa de educar esse investidor, a bolsa promoveu muitos cursos e palestras. Produziu cartilhas e ganhou visibilidade na imprensa. Em 1972, na esteira do que já havia acontecido no Rio, a bolsa paulista automatizou-se. Lousa e giz deram lugar a painéis eletrônicos e a terminais que conectavam as corretoras ao pregão. Mais importante, a Lei das Sociedades por Ações, ou Lei das S.A., mobilizou a sociedade ao legislar sobre temas como o dividendo obrigatório e a definição das responsabilidades dos controladores das companhias abertas. Era um princípio de amadurecimento do mercado, algo mais do que bem-vindo depois da tempestade.

Com a bolsa ainda de ressaca, lentamente se reerguendo, uma empresa começou a se destacar – na verdade, uma holding. Chamava-se Audi Administração e Participações e congregava uma indústria de aguarrás, a Química Industrial Paulista; o Banco Econômico de São Paulo, com duas agências; uma corretora e uma distribuidora de valores; e uma financeira, todas com o nome Audi na razão social, além de negócios menores e mais nebulosos. "Os balanços da holding acusavam lucros mirabolantes e reservas formidáveis que jorravam não se sabia de onde. Além disso, a perspectiva projetada pelos relatórios da diretoria era de um crescimento irreversível", segundo descreveu em 1974 um artigo do semanário *Opinião*.

As ações colocadas no mercado em 1970 a princípio não causaram grande agitação, mas depois das perdas de 71 contrastavam com o desanimado cotidiano da bolsa paulista. Cresciam sempre de valor, tinham absoluta liquidez e generosas bonificações eram distribuídas.

Por trás desse pequeno milagre da bolsa estava Nagib Audi, um industrial nascido em Bauru, interior de São Paulo, filho de libaneses. No seu auge, não tinha ainda 50 anos, mas já acumulara capital suficiente para comprar o então luxuoso edifício Conde Matarazzo, na Praça do Patriarca, no centro de São Paulo, hoje sede da Prefeitura – arrematando o legado da combalida família de industriais de origem italiana. Para explicar seu "sucesso", Audi dizia que seu grupo crescia com solidez e ainda fortalecia a bolsa negociando valores que correspondiam a 20% do volume diário.

O que não se sabia àquela altura é que Audi tinha se beneficiado de um mecanismo de sustentação criado pela própria gerência de mercado de capitais do Banco Central. Por esse mecanismo, uma empresa podia fechar acordos com corretoras de modo a impedir que seus papéis oscilassem fora de determinada faixa, supostamente garantidos por um fundo administrado pelas corretoras. É algo parecido com o *circuit breaker* que conhecemos hoje, porém atualmente é a própria bolsa, contraparte central nas negociações entre compradores e vendedores, que oferece as garantias. O *circuit breaker* é um mecanismo que interrompe todos os negócios por certo tempo quando o Ibovespa, principal índice da bolsa brasileira, cai mais do que 10%, independentemente da causa.

Na prática, a sustentação assegurou às ações das empresas de Nagib Audi uma cotação estável e independente de oferta e procura. Com um altíssimo capital de giro, ele impulsionava sua financeira, a qual, por sua vez, lastreava outros braços da holding. Segundo o *Opinião*, essa sustentação "era a desculpa para revogar a lei da oferta e da procura na bolsa, acobertava manipulações óbvias e ainda incentivava outras empresas a embarcar nessa 'caravana da felicidade'".

Alheios ao esquema e buscando alívio para a secura da bolsa, muitos investidores seguiam apostando (e o verbo aqui está bem empregado) nos papéis das empresas de Nagib Audi. Esse grande especulador, referência que se fixou no imaginário da minha geração de investidores, começou negociando 1 milhão por dia. No seu auge, esse valor batia em 200 milhões diários. Eu mesmo não passei ileso. Mas foi logo no começo da história, antes que eu pudesse me dar mal.

Audi tinha um assessor muito bom, sujeito inteligente, Vito Abatepaulo Carparelli, a quem chamávamos de Vitão. Dia após dia, nós, corretores operando há mais tempo, observávamos a movimentação dos papéis da Audi sem entender muito bem como aquilo era possível. No mesmo pregão, as ações subiam 10% e caíam 10%. No cafezinho, dizíamos que aquilo era uma vergonha para o mercado, que naquela ocasião buscava se estabilizar e reconquistar a confiança dos investidores. Numa ocasião em que Vitão tinha se juntado a nós, eu disse a ele, abertamente:

– Vito, essa oscilação não faz sentido. Nenhuma empresa tem essa variação operacional diária. E olha, a meu ver o mercado deveria ser processo, não impacto. Impacto é isso que a Audi faz: sobe 10 e cai 10 no mesmo dia. Processo é o que dá horizonte ao investidor.

Vitão me ouviu em silêncio. Dali a umas duas semanas, ele me procurou com um pedido inusitado.

– Barsi, vai lá e compra tudo o que você puder de Audi.

– Vitão, você bebeu? Onde está com a cabeça, para pedir que eu compre Audi? – questionei. – Olha, eu te quero muito bem, mas não vou fazer isso.

– Barsi, vai lá e compra. – Dessa vez ele não apenas foi categórico, como ainda tirou um talão de cheques do bolso e me estendeu uma folha assinada, deixando o valor em branco. – O prejuízo você cobra de mim.

Eu tinha Vitão na conta de ser um homem de palavra. Ele não quis me dar detalhes da situação, mas adquiri o que podia na época, umas 100 mil ações. Comprei receoso, mas comprei, pensando em vender logo em seguida. E mantive o cheque bem guardado.

Então aconteceu um milagre ali: os papéis da Audi, que eram considerados os piores do mercado, começaram a subir 1 centavo por dia, todos os dias. Era como se a companhia tivesse enfim instaurado um processo em vez de apenas provocar impacto. A Audi se tornou *blue chip*, nome que se dá às ações de empresas consideradas mais importantes na bolsa – a palavra *blue*, azul, vem da cor das fichas mais valiosas utilizadas nos cassinos. Com o tempo, todos passaram a confiar em que os papéis da Audi aumentariam 1 centavo por dia e, portanto, daí a 10 dias úteis teriam lucrado 10 centavos. Era o tal fenômeno de "crescer sempre em valor" ao qual se referia o *Opinião*.

Um dia perguntei a Vitão como ele tinha conseguido implementar aquilo com tanto sucesso. A resposta foi mais ou menos esta:

– Fácil, Barsi. Peguei um calendário e contei quantos pregões havia no ano: 252. Se o papel está a 40 centavos, ao final de um ano custará menos de 3 reais. Então trago o papel de novo para 40 centavos oferecendo 200% de bonificação e 200% de subscrição num preço barato.

Como sabemos, a exemplo de todas as subscrições que ocorrem hoje, os preços de mercado tendem a convergir para muito próximo do valor das subscrições, principalmente em transações desse volume.

Com 200% de bonificação, quem tem mil ações ganha 2 mil de presente. Eu entendia que em alguma hora daria errado, mas eram movimentos assim que faziam com que brilhassem os olhos dos investidores deslumbrados. Mesmo dos mais experientes. Eu me lembro de um senhor, dono de uma corretora bem-afamada, que comprava apenas papéis nobres: Moinho Santista, Alpargatas, Petróleo União – só coisa fina. Para obter informações, eu costumava perguntar a ele se não ia comprar Audi. "Deus me livre!", dizia, abanando as mãos como se empurrasse os papéis para bem longe.

Até que um dia cheguei ao pregão um pouco antes da abertura, como de costume, e, para minha surpresa, soube que aquele senhor estava comprando... Audi. O filho dele, que também operava no mercado, segredara ao pai: "O negócio vai longe." No café, brincamos com ele:

– Então, Sr. Fulano, está comprando esse lixo aí?

– Bom, do jeito que eles estão fazendo, vale a pena – admitiu ele. – Mesmo porque não há nada que suba no momento.

Como era o tipo de investidor que comprava e guardava, eu nunca soube se, ao final, ele ficou com o penico na mão, como dizíamos na época – ou seja, se tinha restado com papéis "micados".

E as ações continuaram subindo durante três anos. A certa altura, Nagib Audi manipulava tanto dinheiro comprando o que estava à venda e suprindo de papéis todos aqueles que queriam adquiri-los que a fonte secou. Não havia capital de giro que bastasse, mesmo captando empréstimos no antigo Banco do Estado de São Paulo, o Banespa – o que era possível porque ele oferecia as ações como garantia fiduciária. Ao mesmo tempo, começou a desviar dinheiro para outros projetos, entre eles o prédio com jardins suspensos na Praça do Patriarca, helicópteros e outros bens fora do alcance da maioria dos mortais.

Sob a gestão de Alfredo Nagib Rizkallah, a bolsa, ao menos em teoria, desaprovava os contratos manipulados por Nagib Audi. Minha opinião é que a bolsa estava em seu habitat: ganhando dinheiro com especulação. Meu amigo Décio Bazin, já falecido, autor do excelente livro *Faça fortuna com ações* – lançado em 1992, mas incrivelmente atual –, pensava como eu.

A direção da bolsa assistiu calada a tais despropósitos, deixando que milhares de pequenos aplicadores perdessem dinheiro nessa jogatina. E até mesmo permitia que Audi pusesse em prática a ideia esdrúxula de celebrar com outras empresas contratos de sustentação de preços de seus papéis no mercado.[4]

Como a Audi era *blue chip*, sua cotação era inclusive publicada diariamente no boletim da bolsa.

Quem ousou declarar guerra foi Herbert Cohn. À época diretor da corretora NovInvest, ele divulgou um manifesto denunciando as práticas de Nagib Audi e questionando a posição alavancada da empresa. Houve um momento em que o caso começou a cheirar tão mal que escalou para Brasília, com os presidentes das bolsas de São Paulo e do Rio entregando à direção do Banco Central uma acusação formal contra Nagib Audi e seu grupo por "práticas não equitativas". O risco tinha enfim se tornado intolerável.

---

4 Décio Bazin, *Faça fortuna com ações*. CLA Editora, 1992.

Quando o Banespa exigiu a quitação do empréstimo, o especulador não tinha como pagar. As ações viraram pó. Em abril de 1974, uma nota publicada no *Jornal do Brasil* dava conta de que "o Sr. Nagib Audi (Grupo Audi) embarcou ontem para a Europa, dando-se como desligado do mercado financeiro". Muita gente ganhou muito dinheiro com essas transações, especialmente quem operou no começo do esquema. Mas uma multidão de outros saiu prejudicada.

Era um tempo de transações esquisitas, para dizer o mínimo, e a Audi não era a única empresa enrolada. Os mais experientes, e àquela altura eu já estava nesse clube, viviam de orelha em pé.

Eu me recordo de outro caso de espiral de alta, este com um crime grave embutido.

No começo dos anos 1970, a corretora de número 133 comprou todas as ações de uma empresa chamada Tecnosolo, que havia acabado de abrir seu capital com um volume que chegava a, digamos, 5 milhões de ações. Essa corretora precisava valorizar seus papéis e para isso contava com um funcionário matreiro e muito comunicativo, Tércio, que recorreu a uma espiral de alta. Tércio abordava o pessoal no pregão vendendo Tecnosolo e, de tanto ouvir nãos, passou a oferecer lotes a 1 real por ação (lembrando que uso a moeda de hoje para facilitar a compreensão), com um detalhe: comprometia-se a comprá-los de volta dali a uma semana pagando 1,05 real. Como naquele tempo de vacas magras os ganhos eram irrisórios, Tércio virou um personagem de destaque no pregão. As pessoas passaram a procurá-lo.

Eu já conhecia as espirais de Herbert Cohn, mas essas eram muito diferentes. Cohn expressava o valor dos papéis, mas não dava vantagem a ninguém e muito menos oferecia garantias. Era o mercado atuando, e só. Tércio não: ele não apenas indicava o valor que pagaria na semana seguinte, como ainda deixava com o cliente o cartão garantindo a recompra pelo valor combinado. Era um cartão magnético, com vários códigos já prontos para preencher com o preço, além da assinatura do comprador e do vendedor. Com o tempo, o negócio ficou mais ambicioso. Tércio oferecia 1,10, depois 1,15, até chegar a 2 reais por ação – creio que chegou a oferecer 5 reais num intervalo de cerca de seis meses. Quando o valor atingiu um patamar muito alto, o negócio começou a cheirar mal. Tércio deixou de honrar alguns pagamentos. Estava claro que ele havia quebrado.

A bolsa então agiu cancelando todos os negócios pendentes da Tecnosolo – e também de quem tinha envolvimento neles: diretores, sócios, operadores, auxiliares de pregão, enfim, todo o pessoal da retaguarda das corretoras que tinha fechado negócios com a Tecnosolo. Seus negócios não seriam liquidados.

Um pouco antes de isso acontecer, fui procurado por um cliente fiel da corretora onde eu trabalhava na época, a Montanarini. Era um senhor de Araraquara, no interior paulista, proprietário de uma lanchonete especializada em esfirras. Acompanhava diariamente o boletim da bolsa e queria porque queria que eu comprasse ações da Tecnosolo para ele. Estava impressionado com a falsa espiral de alta produzida pelo corretor Tércio. "Pelo amor de Deus, não me peça para comprar esse papel", implorei a ele. Eu não queria que meus colegas de pregão imaginassem que eu estava naquele jogo. Para mim, desde sempre esteve claro que era uma roubada.

Então tive uma ideia para atender o cliente e, ao mesmo tempo, não entrar em enrascada.

No pregão havia dois procedimentos para comprar e vender. O primeiro deles, e mais comum, consistia em apregoar determinado papel e alguém comprar por aquele valor – naquela notória algazarra de "Compro isso!" e "Vendo aquilo!". No segundo, que chamávamos de "tabuleta" e mais tarde "pedra", o corretor indicava uma oferta firme de compra, sendo que naquele preço ele teria a preferência. O valor era escrito na tabuleta, em giz, por funcionários da bolsa que passavam o pregão inteiro escrevendo e apagando, escrevendo e apagando. Já não me lembro do valor exato, mas a manobra que fiz foi a seguinte: não apregoei – apenas coloquei no quadro, o que significava que ninguém sabia que era eu quem estava por trás da operação. Dessa maneira, além de não ser reconhecido como a pessoa por trás da operação, havia a garantia na oferta firme de que as compras e vendas do meu cliente seriam executadas. Tércio, certamente surpreso, comprou a esse valor. Então vendi colocando na pedra um preço menor.

Quando todas as transações da Tecnosolo foram canceladas, fui falar com o diretor jurídico da bolsa, defendendo os interesses do meu cliente. Expliquei que meu produtor de esfirras não se enquadrava em nenhuma das categorias a ser punidas com a não liquidação, portanto deveria receber. Diante do "não", ameacei a bolsa com um processo, pois sabia da existência de uma espécie de fundo de garantia para situações como aquela. Até ali, ninguém havia acionado o jurídico da bolsa, o que provocou certo arrepio institucional. Acabei conseguindo que a compra do meu cliente fosse liquidada.

Prometi a mim mesmo nunca mais entrar em encrencas como aquela. Não entrei.

6

O TEÓRICO

"Ações garantem o futuro"

Atuando como consultor econômico-financeiro independente, eu conseguia manter meus filhos com algum conforto e oferecer boas condições de vida à minha mãe, com quem eu morava. Vivia de comprar e vender ações para os clientes da corretora, ganhando corretagem e adquirindo algumas para mim mesmo sempre que vislumbrava uma oportunidade de ganhar com a venda posterior ou guardar. No entanto, de alguma forma, o menino do Quintalão tinha deixado em mim um medo entranhado de um dia voltar a ser pobre.

E, o que seria pior, *velho* e pobre.

Na época, as pessoas contribuíam para o Instituto Nacional de Previdência Social, o INPS, criado em 1966 a partir da fusão de diversos institutos previdenciários privados. Embora ainda fosse recente, tinha sido anunciado como uma grande conquista nacional, e todo brasileiro sonhava um dia aposentar-se pelo INPS, como muitos hoje ainda falam em se aposentar pelo INSS, o Instituto Nacional do Seguro Social.

Eu refletia bastante sobre esse assunto. Pode parecer estranho que aos 30 e poucos anos eu pensasse tanto nisso, mas não conseguia não pensar. No boom da bolsa, tive certeza de que havia encontrado um caminho. O *crash* que veio a seguir abalou essa certeza.

Então fiz o que costumo fazer quando estou diante de uma situação complexa para a qual não tenho resposta.

Fui estudar. Comecei pela previdência brasileira.

Ao contrário de muitos dos meus amigos, eu não estava convencido de que o INPS fosse um bom negócio. Meu conhecimento de economista me dizia que a ideia de contribuir por 30 anos para receber um benefício pelo restante da vida talvez não vingasse. Naquele momento, a expectativa de vida no Brasil era de 57 anos, mas... e se aumentasse? Haveria dinheiro para pagar mais gente por um tempo tão incerto e longo? Logo cheguei à conclusão de que a previdência compulsória, essa mesma que todos hoje têm pelo INSS, não possuía uma estrutura capaz de sustentar o cidadão com uma provedoria que lhe proporcionasse uma vida boa.

Tinha que haver um jeito melhor de se aposentar.

Minhas pesquisas me levaram ao mercado americano. Lá não havia previdência pública, as pessoas se aposentavam pelas empresas. Em seus anos produtivos, elas compravam ações que pagassem dividendos, e esses dividendos respondiam pela renda de boa parte da população quando finalmente chegava a hora de se aposentar.

Talvez eu tenha enxergado algo que era difícil perceber naquele momento. Em 1970, a pirâmide etária brasileira era de fato uma pirâmide – larga na base, estreitando-se harmoniosamente até o topo. A população do país era em torno de 95 milhões de pessoas, cerca de três quartos delas com menos de 54 anos, portanto em condições de contribuir.

Porém, em retrospecto, mesmo o cenário dos anos 1970 não era dos mais alvissareiros para a manutenção da previdência pública. Os sinais já estavam no horizonte. As mulheres ensaiavam sua entrada no mercado de trabalho, o número de filhos por família começava a diminuir, avanços na medicina e nas condições de saneamento favoreciam a longevidade e, bem, já era possível suspeitar que em algum momento no futuro não haveria gente suficiente trabalhando para manter os aposentados. Vale lembrar que nossa previdência é estruturada de tal modo que quem trabalha sustenta os que já se aposentaram.

Para mim, foi ficando cada vez mais claro que essa história não acabaria bem.

O cenário hoje é bem diferente, como sabemos: nossa pirâmide é quase um retângulo. Somos 212 milhões, mas a queda na taxa de natalidade e o aumento da expectativa de vida criaram um gargalo insuperável. Em 2019, o Congresso aprovou uma reforma previdenciária que pode até trazer algum alívio às contas públicas a curto prazo, mas não será por muito tempo. Não há como dar certo.

Então, meio século antes desse cenário, resolvi fazer as contas. Imaginei 10 pessoas fictícias que contribuíssem para a previdência do governo durante 30 anos, com a empresa realizando depósitos na mesma medida. Fiz um somatório que, ao final de três décadas, resultou num pecúlio. Dividi o total do pecúlio pelo número de funcionários contribuindo – 10 – e constatei que aquele valor só os manteria por três anos com o mesmo nível de renda. Um fiasco.

Havia outro ponto: a previdência não pagava o salário integral no momento da aposentadoria, mas uma porcentagem dele. A não ser que se submetesse a duros cortes em seu padrão de vida, a pessoa teria dificuldade em se manter com a nova renda. Em resumo, a previdência não cumpria sua função de prover uma aposentadoria tranquila e funcionava apenas como provedora de recursos. Isso só não era válido para os funcionários públicos, que continuavam ganhando o mesmo salário após se aposentarem. No caso dessa elite, pensei, além de ser provedora, a previdência do governo também ostentava a posição de empregadora.

Embora eu contribuísse para o INPS na época, jamais teria uma aposentadoria decente. Eu não deveria me lastrear para ser um associado da previdência – teria que criar a minha própria previdência. Não me achava uma pessoa com tino para comércio ou indústria, mas, naquele momento, já era "sócio" de um punhado de empresas, graças às ações que vinha comprando. Será que, seguindo essa trilha e fortalecendo uma carteira de ações com vistas à aposentadoria, eu não conquistaria uma velhice sossegada? Será que a minha carteira de renda mensal, que já me pagava alguns dividendos, não seria mais confiável que a previdência pública como fonte de sustento no futuro?

Voltei às contas. Analisei outros investimentos disponíveis na época, como letras de câmbio e bônus rotativos, modalidades também negociadas em bolsa de valores. E ações. Fiz uma análise bastante criteriosa de empresas capazes de gerar uma renda mensal favorável e cheguei a um nome: Anderson Clayton, uma multinacional americana que havia desembarcado no Brasil em 1934 e destacava-se no processamento de soja para produzir óleo de cozinha. Tinha várias linhas de produto – inclusive uma pasta de amendoim chamada Amendocrem, tentativa de emplacar no Brasil um hábito americano. Como era uma empresa que atuava em um setor perene, imaginei que estaria seguro investindo nela. Analisei o preço das ações da companhia na época e projetei a compra de certa quantidade de papéis durante 30 anos, considerando os dividendos pagos então.

Graças à minha coluna sobre mercado de capitais no *Diário Popular*, jornal de grande circulação nos anos 1970, eu tinha acesso a figuras importantes do mundo empresarial. Liguei para o vice-presidente da empresa no Brasil, Guilherme de Jesus Falavina. Falei sobre meu estudo e consegui que ele me recebesse para avaliar o trabalho que eu tinha feito.

O Dr. Guilherme foi só elogios. Estava fantástico, disse. Só havia um problema: eu não prosperaria daquela maneira. Fiquei intrigado.

– Você sabe quem são os proprietários da Anderson Clayton? – ele me perguntou.

Eu não sabia. Então, pedindo confidencialidade, ele explicou:

– São duas senhoras americanas octogenárias que estão sob forte pressão para vender o controle acionário da empresa. Não sei por quanto tempo ainda resistirão.

Diante dessa incerteza, não comprei ações da Anderson Clayton. Em 1986, a empresa foi de fato adquirida pela Gessy Lever, mais tarde incorporada à Unilever. Mesmo assim, considerei que o princípio básico do livreto, ou seja, o potencial das ações como fonte de receita, continuava intocado e possivelmente valeria para empresas de qualquer setor, principalmente de setores perenes.

Descartada a Anderson Clayton, a segunda empresa que analisei seriamente foi a CESP, sigla, à época, para as Centrais Elétricas de São Paulo (mais tarde, Companhia Energética de São Paulo; hoje, Auren Energia). A CESP chamou minha atenção porque, diferentemente da Anderson Clayton, era uma empresa de valor unitário 1, ou seja, cada vez que aumentasse o capital, era obrigada a ampliar a quantidade de ações na mesma medida.

Além disso, pagava 10% de dividendos ao ano, bem mais que a Anderson Clayton, o que me dava a perspectiva de ampliar rapidamente minha posição.

Refiz meu estudo considerando a CESP.

Imaginei que, em vez de contribuir para a previdência oficial durante 30 anos, aqueles mesmos 10 funcionários viessem a adquirir todo mês mil ações da companhia. Frequentando a bolsa havia tantos anos, eu tinha informações confiáveis de que a CESP era uma empresa bem gerida e, além disso, o setor energético obviamente tinha perenidade. Fiz meus cálculos com base em números reais naquele momento, 1974, quando os papéis da CESP tiveram uma lucratividade de 48%, o correspondente a 4% ao mês, acima da média dos títulos de renda fixa. A partir dos números que obtive, reescrevi o ensaio, ao qual dei o nome de *Ações garantem o futuro*. Porque era nisso que eu acreditava. E cada vez mais é nisso que acredito.

Nesse ensaio, afirmei que "apresentando todas as características de segurança, rentabilidade e liquidez, o risco do investimento é praticamente inexistente". Projetando para o futuro, e considerando uma bonificação média de 10%, abaixo do que a companhia havia pago em anos anteriores, cheguei a algumas conclusões interessantes.

A primeira delas foi que o investidor só teria que tirar dinheiro do próprio bolso até o quinto ano do investimento. A partir do sexto ano, os dividendos recebidos já cobririam as aplicações posteriores.

A segunda é que, reaplicando parte dessa receita, o futuro aposentado investidor passaria a ter uma renda adicional do sexto ano em diante. A seu critério, ele poderia, claro, aplicar todo o dividendo auferido, o que abreviaria o tempo até a aposentadoria.

A terceira dizia respeito à gestão do patrimônio. Como o próprio investidor administraria seus papéis, estaria livre dos riscos inerentes à maioria dos investimentos de longo prazo, situação em que terceiros tomam decisões nem sempre prudentes ou acertadas. O investidor tampouco teria despesas administrativas, claro.

Ora, com esse plano, ao final de 30 anos (na verdade, bem antes) nossos 10 aposentados teriam um patrimônio considerável e valioso em ações e viveriam confortavelmente dos dividendos pagos pelas empresas. Em meu ensaio, busquei ainda tranquilizar o investidor que porventura tivesse receio de depositar seu futuro no mercado de capitais.

É o tipo de investimento que o deixará despreocupado no tocante à queda eventual da cotação. Até pelo contrário, será mais interessante que a mesma não suba (o que é um paradoxo), pois quanto mais baixo estiver seu preço, menor será o custo do investimento e mais breve o retorno do capital aplicado.

Lembre-se: as empresas pagam dividendos de acordo com a quantidade de ações que o investidor possui, não pelo valor individual dos papéis.

Escrevi isso em meados dos anos 1970. Raciocinar assim desde aquele momento foi vital para que eu me tornasse quem sou hoje. Nas minhas conclusões já transparecia muito da filosofia de negócios em bolsa que conduzi ao longo de toda a minha vida de investidor.

[Este trabalho representa] um esforço para mudar a imagem negativa que boa parcela dos investidores tem em relação aos títulos de renda variável, procurando demonstrar que a cotação é um fator circunstancial. O investimento se processa a médio e longo prazo.

Eu já comprava papéis havia alguns anos, de maneira menos estruturada, ainda que buscasse uma renda mensal – estratégia que mais tarde o mercado chamou de "carteira de previdência". Mas já me preocupava em combater a tese de que as ações eram sinônimo de jogo especulativo.

Somente o será se todos pensarem em especular, com o intuito de lucrar por intermédio da variação na cotação. [...] O processo que expomos não tem como meta a valorização da cotação, mas o aumento da quantidade de ações em carteira, sendo, dessa forma, extremamente importante que o risco do investimento seja praticamente inexistente, e a distribuição de proventos (dividendos e bonificações), certa.

Quando terminei meu ensaio *Ações garantem o futuro*, mostrei-o a alguns amigos. A reação, em geral, foi positiva.

Era um livro pequeno, sucinto, didático, mas com um conteúdo profundo.
Eu já conhecia o Barsi havia alguns anos, tínhamos trabalhado juntos, e eu sabia da preferência dele por aplicar em ações que pagassem bons dividendos. Sabia e concordava, porque eu também era um operador do mercado e entendia o raciocínio. Mesmo que eu não entendesse, naquele livreto tudo ficava muito claro; os cálculos eram

feitos com base em números e projeções reais e não havia o que questionar.

Ele tinha enorme prazer em distribuir sua "tese de investimentos", porque de fato tentava incutir nas pessoas a filosofia em que acreditava. Depois que li, emprestei a alguém que nunca me devolveu, mas não importa, porque o conteúdo eu nunca esqueci.

O Barsi tinha um comportamento muito peculiar. A impressão que nós, colegas dele do pregão, tínhamos era que ele não gastava dinheiro com nada – só reinvestia o que ganhava. Se nos reuníamos para tomar um café na rua, ele não ia, e a gente suspeitava que era para não gastar, era muito disciplinado e não deixava que nada o afastasse dos seus objetivos. Muitas pessoas comentavam que ele tinha dinheiro, mas não usufruía, então de que adiantava ter dinheiro? Ele só não era econômico quando se tratava de dar conselhos sobre a carteira que ele achava que todos deveríamos possuir. Infelizmente, eu não tinha a disciplina do Barsi e não segui a orientação dele. Me arrependo. Como operador, eu tinha acesso a todos os papéis e comprava meio que pelo feeling. Na hora que subia, eu me desfazia daquelas ações e auferia os lucros: fazia uma viagem, comprava um carro novo – exatamente o contrário do que ele pregava. Eu era um especulador. Eu e quase todo mundo. Ele é que era a exceção. Eu tive alguns prazeres momentâneos proporcionados pelos ganhos na bolsa, mas o Barsi consolidou seus investimentos para a vida toda.

Celso Cândido Filho, o "Painho",
ex-operador de pregão

Outro amigo a quem entreguei o livreto, na época diretor da Ordem dos Economistas, ficou particularmente impressionado com o fato de eu ter feito os cálculos com base nas ações da CESP. Ele conhecia alguém importante na empresa e me perguntou se poderia levar o trabalho para o executivo seu conhecido. Concordei, claro. Algum tempo depois, o presidente da CESP à época, Lucas Nogueira Garcez, ex-governador de São Paulo, e o diretor financeiro, Moacir Teixeira, me chamaram para uma reunião. Depois dos cumprimentos, o Dr. Lucas me disse:

– Sr. Barsi, lemos o seu trabalho e queremos comprá-lo.

Expliquei que eu não o tinha feito para vender. Minha intenção era colaborar com o nosso mercado e defender uma visão de investimento a médio e longo prazo. Operar no mercado, eu dizia (como digo ainda hoje), pede a consciência de que não é para hoje e certa mentalidade de dono do negócio.

Como insistissem na ideia de comprar o ensaio, perguntei o que pretendiam fazer com ele.

– Queremos editá-lo, transformá-lo em livro e distribuí-lo – disse o Dr. Moacir.

Autorizei-os a publicar o livro com meu nome na capa e, na folha de rosto, um anúncio da corretora Barros Jordão, onde eu atuava como uma espécie de responsável pelo departamento técnico.

O livro foi de fato publicado. Tenho orgulho desse trabalho e ainda guardo alguns exemplares comigo. Eu estava convencido de ter encontrado a fórmula da aposentadoria sustentável, mantida não pelo Estado, que vivia periclitante, mas pelas empresas. Vinha estudando o assunto com o maior interesse. Nos Estados Unidos, as pessoas se mantinham graças aos dividendos quando deixavam de trabalhar. Por que não nós? Na mesma época, perguntei a Moacir Teixeira se ele não poderia levar o *Ações garantem o futuro* ao "Patrão", que era como se referiam ao então ministro da Fazenda, Antônio Delfim Netto. "Barsi, o Delfim só olha coisas que vêm da USP", me respondeu Moacir.

Senti um misto de irritação e desapontamento com essa resposta. Bem, aquele trabalho não tinha sido feito pela USP, portanto, se esse era o critério, eu jamais conseguiria que minhas ideias chegassem a Delfim Netto, que ocupou o Ministério da Fazenda de 1969 a 1974. Hoje, olhando para trás, penso nele e em tantos outros homens fortes da época como pessoas que, na vida real, pouco entendiam de economia. Queriam cargos e eram Ph.Ds. em holerites. Hoje são aposentados pelo Estado, sujeitos ao limite do que o Estado pode pagar. Eu, ao contrário deles, queria riscos. Tenho uma pequena aposentadoria pelo INSS, por tempo de serviço, mas sempre contribuí com o mínimo (pois meu objetivo era outro) e recebo um salário mínimo. Eu me considero aposentado pelas empresas, em sintonia com a tese que eu tanto quis apresentar a Delfim Netto, e não há limites para quanto posso receber nessa condição.

Muitos anos mais tarde – só para encerrar esta história –, Moacir Teixeira esteve na Cobansa, uma das corretoras onde trabalhei. Havia ocupado outros cargos em autarquias, inclusive uma diretoria financeira em Itaipu, mas se aposentara pelas regras do Estado. Lembro que apertou minha mão e disse: "Barsi, eu devia ter te escutado."

7
O MILIONÁRIO
"Quem seguiu meus conselhos ficou rico"

Podia não chegar a Delfim, mas a verdade é que o tempo foi consolidando a minha ideia de me aposentar pelas empresas. Desde a publicação de *Ações garantem o futuro*, direcionei toda a minha energia para a compra de papéis com o objetivo de me aposentar com uma renda satisfatória e provar que minha tese era factível. Estava totalmente concentrado na carteira previdenciária. Ainda hoje tenho algumas ações adquiridas naquela época, como Klabin e Banco do Brasil.

A pergunta decisiva era: de quais empresas eu queria ser um pouco dono? A CESP, sem dúvida. Foi minha primeira meta como investidor convertido à minha própria tese da carteira. Quais outras? Comecei a esboçar alguns critérios, que eu fortaleceria ao longo da minha vida de investidor. Teria que procurar empresas com projetos sustentáveis a longo prazo e, claro, com bom histórico de distribuição de dividendos. Melhor seria se já estivessem consolidadas – comprar ações no IPO (sigla para *initial public offering*, a oferta pública inicial) era quase sempre um tiro no escuro. Valia a pena pesquisar o setor e verificar como vinha sendo seu desempenho – se negativo, convinha evitar.

Alguns de que logo aprendi a manter distância foram o varejo, pela imediata sensibilidade a qualquer momento de crise, e as companhias aéreas, uma indústria com custos elevados e muito sensível às oscilações da economia, além de altamente regulada (tenho consciência de que posso ter perdido oportunidades, mas, uma vez estabelecido o critério, me mantive fiel a ele). Pelas mesmas razões, fugia do segmento de turismo, das empresas de saúde e das de transportes.

Uma vez tomada a decisão de criar a carteira de renda mensal com finalidade previdenciária, havia outra pergunta importante: quantas empresas eu deveria ter? Se eu desejava me aposentar com dividendos, e se escolhesse empresas que os pagam duas vezes ao ano, deveria ter meia dúzia de empresas. Afinal, se pagassem uma vez ao ano, precisaria de 12. Acabei concluindo que 12 era um bom número, e nas décadas seguintes procuraria me ater a essa média, oscilando um pouco, para menos ou mais, ao sabor das oportunidades que o mercado apresentava.

Por fim, quanto eu poderia possuir de cada empresa? O que seria uma boa cesta de empresas? Por quanto tempo deveria manter as ações de cada uma? Também aqui comecei a definir critérios. Naquela época, eu ainda não era sequer um milionário, então o jeito era comprar devagar, mas isso acabou se revelando uma boa regra para a minha vida de investidor: comprar aos poucos, jamais tudo de uma vez, pelo menor valor possível. No começo, com pouco dinheiro para investir, eu estabelecia metas por números: queria ter 100 mil ações da CESP, por exemplo. À medida que eu engordava minhas aplicações e recebia mais dividendos, passei a definir porcentagens: eu teria até 5% das ações de cada empresa boa em que decidisse investir com finalidade previdenciária. Sonhava com uma porcentagem que me permitisse indicar uma pessoa para o conselho fiscal ou para o conselho de administração de uma empresa, o que, em última instância, permitiria que eu opinasse sobre os rumos do negócio – como viria a fazer algumas vezes no futuro.

Naquele momento ainda estava muito distante disso, claro, mas se eu não pensasse grande, ninguém pensaria por mim.

O que eu já tinha entendido naquela ocasião, e que muitos ainda hoje não compreenderam, é que quando se aplica em renda variável, o ganho advém da quantidade possuída. Se um papel paga 10 centavos de dividendos, e se eu tiver 100 ações, receberei 10 reais. Se tiver 1 milhão de ações, o ganho será de 100 mil reais a cada rodada de dividendos. Portanto, o ideal é possuir a maior quantidade possível de ações, e só é possível comprar muitas quando o mercado está em baixa.

Nos fundos de renda fixa, em que tantos brasileiros aplicam, o ganho advém do valor aplicado.

Também defini que, para cumprir a meta percentual, eu só compraria quando o preço das ações estivesse em queda, nunca em alta. Foi seguindo essa determinação que, em momentos distintos da minha trajetória de investidor, comprei papéis do Banco do Brasil a 60 centavos e da Klabin a 14 centavos, o que parece inacreditável hoje. Se estivesse investindo em uma empresa e os papéis começassem a subir, eu interromperia meu movimento de compra e aguardaria. Se a alta continuasse, avaliaria se era o caso de vender aquela participação e investir em outra empresa cujas ações oferecessem uma oportunidade melhor. Mas raramente fazia isso. Se o papel voltasse a cair, eu voltava a comprar. Todas essas movimentações, naturalmente, dependeriam da minha interpretação de que a empresa de fato caminhava para se reestruturar. E eu trabalharia muito para obter essas informações, sabendo que nenhuma ação cai ou sobe indefinidamente. Há sempre um parâmetro, e o desafio é entender qual é.

O passo seguinte foi refletir sobre as atitudes mentais que seriam necessárias para concretizar esse projeto. Decidi que a compra de ações seria a minha *prioridade*. Naturalmente, eu não deixaria de comer para investir em papéis, mas tudo o que sobrasse se converteria em ações. De certa forma, era o que eu vinha fazendo, mas aquela reflexão deu uma nova importância à conduta que eu adotara. É claro que exigiria muita *disciplina*. E, sobretudo, eu precisaria de *paciência* para esperar o momento em que a minha estratégia daria frutos.

Essas três decisões foram modulando minha personalidade e minha trajetória.

A disciplina era especialmente necessária quando pessoas conhecidas questionavam por que eu investia apenas em ações.

Na época, empenhado em aumentar a poupança nacional para financiar seus programas de desenvolvimento econômico, o governo brasileiro buscava fortalecer a captação pelas cadernetas de poupança. Criadas no tempo do imperador Pedro II, tais aplicações tinham por objetivo receber as economias das classes menos abastadas – no Império, até mesmo escravos podiam tê-las. Reconhecida como investimento seguro, mesmo que rendesse pouco e muitas vezes perdesse para a inflação, a poupança acabou se tornando um hábito dos brasileiros. Um hábito que se perpetuou e chegou até nossos dias, estimulado e amplificado pelo empenho forte dos bancos em arrecadar dinheiro para essa modalidade.

Eu me lembro, em particular, de uma campanha veiculada nos canais de televisão, a mídia mais poderosa na época, em que um cidadão engravatado, de cabelos brancos e ar respeitável, acenava com um cartão de poupança e conclamava: "Vem para a poupança!" O hábito se fortaleceu também atrelado à inflação crescente nos anos 1970 e à remuneração que essa aplicação pagava, a qual parecia proteger os brasileiros da desvalorização do dinheiro.

O bloqueio das contas no governo Collor, em 1990, abalou essa instituição nacional, que foi perdendo atratividade a partir de meados daquela década, graças à estabilidade econômica proporcionada pelo real. Então o governo, disposto a preservar essa aplicação, estimulou novas campanhas publicitárias, como a dos Poupançudos da Caixa Econômica Federal, já nos anos 2000. Na tela da TV, os bonecos coloridos cantavam e dançavam, apelando especialmente para as crianças, que podiam ganhar miniaturas caso seus pais abrissem poupanças no banco estatal.

Correndo em paralelo ao desenvolvimento do mercado de capitais, a poupança sempre foi uma concorrente forte à expansão deste. Ao meu redor, quase todo mundo tinha poupança e eu era visto como um apostador, alguém que lançava mão de estratégias temerárias e misteriosas (ainda hoje, meio século mais tarde, há quem se aferre à poupança por considerá-la um investimento seguro, o que me parece uma insanidade). Fato é que eu tinha estudado detidamente a caderneta de poupança, entre outras aplicações. Concluí que ela mal corrigia os valores aplicados, enquanto as ações, se eu mantivesse minha determinação de comprar e escolhesse as empresas dentro dos critérios que tinha estabelecido, iam compondo um patrimônio valioso que pagava dividendos muito mais atraentes do que qualquer rendimento da caderneta. Algumas também pagavam bonificações quando havia aumento do capital.

Comecei a ganhar uma fama curiosa no mercado: falavam de mim que "o Barsi compra e rasga a cautela", querendo dizer que eu não me desfazia dos papéis que adquiria. Na maioria das vezes, de fato, era assim. Vez ou outra eu aproveitava alguma oportunidade e vendia algo para me alavancar, ou mesmo para comprar alguma empresa que me parecesse mais barata e promissora naquele momento. Eu era profissional de mercado, tinha tempo para me dedicar a esses estudos. Mas a ideia geral era comprar para guardar.

Até ali, estava funcionando bem.

Da mesma forma que nos tempos da *Corbeille*, eu ia à bolsa todos os dias. Acabei fazendo muitas amizades, embora nenhuma íntima a ponto de nos frequentarmos. Muitos dos meus conhecidos daquela época viviam em busca do melhor *trade* – ações para comprar e vender rápido, às vezes no mesmo dia, ganhando um pouco de dinheiro aqui, mais um pouco ali, perdendo com outros papéis. Isso, sim, era arriscado. Eu tentava convencer os mais próximos da viabilidade de uma carteira previdenciária – comprar e reter ações, à espera dos dividendos. Era como pregar no deserto: ninguém me dava ouvidos. De certa forma, falar em receber dividendos e em guardar ações de boas empresas não se comparava, em glamour, à adrenalina do *trade*. Houve um ou dois colegas que me escutaram. Hoje, estão ricos. Outros me encontram atualmente e dizem: "Como eu queria ter te escutado, Barsi!" É o caso do Marcos "Barão", um amigo dos tempos de pregão, que rememora um pouco aquela época:

No começo dos anos 1970, quando a bolsa era dividida em postos por setor de atuação, os interessados em comprar e vender se aglomeravam ao redor das posições ou postos, gritando suas ofertas e propostas. Havia sempre muita gente – em torno de 1.200 pessoas transitavam por ali todos os dias –, mas, de alguma maneira, todos sabiam quem era o Barsi. Ele era uma figura discreta, sempre com o mesmo terno de linho claro, a mesma camisa e gravatas largas, que já eram extravagantes naquela época (anos mais tarde, me confessou que tinha várias camisas da mesma cor, ou seja, não era sempre a mesma, como achávamos). Não era de muita conversa e, diferentemente de nós todos, não tinha apelido no ambiente da bolsa. Nós, operadores que atuávamos na época, sempre tínhamos muitas ordens para executar. Como era quase impossível nos deslocarmos o tempo inteiro de um posto a outro, pedíamos ajuda aos colegas. "Fulano, estou aqui no posto 1, compra Petro pra mim!" Depois fazíamos os acertos. Barsi não entrava nesses esquemas. Não era de falar o que estava comprando, a não ser que isso pudesse valorizar os papéis depois.

Como na bolsa tudo se sabe, com o tempo foi ficando claro que o Barsi, com aquele seu jeito reservado, estava ficando rico. Aí começaram os boatos de que era muquirana. Todos os operadores tinham auxiliares, menos ele, que sempre deu valor ao dinheiro que ganhava e preferia trabalhar sozinho. Muita gente tinha inveja da carteira que ele tinha montado e falava mal pelas costas – mas prestava atenção no que ele estava comprando e ia atrás.

Quando estava operando, o Barsi não se deixava distrair por nada. E na bolsa daquela época, com o pregão presencial, muita gente fazia de tudo para distrair os operadores – às vezes só por sarro, mesmo, outras para tirar o foco de determinados papéis, em manobras diversionistas.

Certa vez, um operador ganhou uma bolada e contratou prostitutas para irem à bolsa. As moças, vestindo apenas roupão, desfilaram pelo aquário, a passarela circular envidraçada que ficava acima do pregão. A certa altura, todas abriram o roupão – estavam nuas por baixo. Seguranças foram acionados para conduzir as moças até a saída. Não sei se Barsi estava lá naquela manhã, mas, se estivesse, daria no máximo uma olhadinha – e continuaria operando como se nada fosse.

Muitas vezes ele me falou sobre sua estratégia de montar uma carteira previdenciária, mas eu não escutei. Estava muito fascinado pelo trade *e pela compra de opções. Se eu pudesse voltar atrás, faria como ele. Barsi enriqueceu comprando a longo prazo. "O povo é burro, não enxerga!", ele me dizia. Mas, na minha opinião, a verdade é outra: ele é que enxergava longe demais.*

Marcos "Barão" Silva

Além de comprar de olho no longo prazo, e para guardar, fui consolidando sozinho o meu método de investir. Nunca fui, por exemplo, de comprar ações caras, mesmo que de boas empresas, e ainda hoje penso assim. Investidores que arrematam papéis a 80, 90, até 100 reais precisarão de muito dinheiro para ter uma participação significativa naquela empresa. Eu prefiro comprar grandes lotes de ações muito baratas – mas de empresas que conheço e em cuja valorização acredito.

A bolsa vinha me garantindo grandes benefícios e me aproximando dos meus objetivos. Nem por isso eu deixava de lado meu olhar crítico. Logo entendi que comprar na baixa e vender na alta é uma proposta especulativa discretamente postulada pelas bolsas de valores, que se beneficiam do giro dos papéis graças à cobrança de corretagens, emolumentos e outras taxas. O giro especulativo está no DNA das bolsas. Mas eu já entendia que, do ponto de vista do investidor, essa postura só poderia levar ao insucesso.

E, na segunda metade da década de 1970, obtive a maior prova de que a minha tese de investimento era pertinente: me descobri milionário. Eu, o menino criado em cortiço, que trabalhou como baleiro e engraxate.

Muitas pessoas já me perguntaram quando e como juntei meu primeiro milhão. Independentemente da moeda – cruzeiro, cruzado, cruzado novo, real –, a palavra "milhão" tem um papel relevante no imaginário da nossa sociedade. Lamento desapontar os curiosos, mas não me lembro com exatidão de "quando". Tenho uma vaga sensação de que foi por volta de 1976, mas acho que na sequência gastei parte dele em um bem que julguei necessário naquele momento: um apartamento maior para minha mãe e eu morarmos. Até aquele momento, ainda ocupávamos a mesma quitinete da época da minha separação.

Certamente fiquei muito feliz quando consultei meu extrato bancário e vi ali o número que para muitos é mágico, mas esse momento não ficou na minha memória. Na verdade, talvez tenha me dado conta desse total quando fiz a declaração de imposto de renda. Creio que foi o desdobramento natural de uma conduta de austeridade, disciplina, estudo e alguma astúcia, claro. Eu tinha a renda das corretagens que fazia para terceiros, o emprego no jornal, os dividendos das ações que eu comprava e os lucros das negociações que realizava tão somente para auferir lucros bons, e rapidamente. Creio que encontrei muitas oportunidades e soube aproveitar a maioria delas.

Mas já naquela época, embora o primeiro milhão tenha sido importante, não fiquei satisfeito. Como aliás não me sinto ainda hoje.

8

O APOSENTADO

"Nem por isso me estiquei na areia da praia"

O mercado foi se sofisticando, o que tornava meus dois trabalhos – o de consultor financeiro independente e o de jornalista – cada vez mais instigantes. Com a criação, em 1977, da CVM, a Comissão de Valores Mobiliários, ligada ao então Ministério da Fazenda (hoje Ministério da Economia), todos aprendíamos como deveria ser um mercado de capitais devidamente regulamentado e protegido do vale-tudo que tinha produzido a bolha do início daquela década. Curiosamente, naquela época até mesmo a palavra "mobiliário" despertava confusão: alguns veículos de imprensa escreviam "imobiliário" e eram corrigidos por funcionários da autarquia. Valores mobiliários, explicavam eles, pacientemente, eram títulos de propriedade ou crédito adquiridos pelos investidores no mercado – ações, bônus de subscrição e debêntures são alguns deles. Foi um tempo em que muitos investidores se educaram para as reais possibilidades das bolsas – até 1999, ainda havia nove espalhadas pelo Brasil. Só no ano 2000 foram integradas numa bolsa só, com sede física em São Paulo.

Minha impressão era que bolsas e CVM nem sempre se bicavam. No entanto, de modo geral, prevalecia o bom senso e o desejo de instruir os recém-chegados ao mercado de capitais – investidores *e* empresas.

Naqueles primeiros tempos da CVM, muitas estatais de capital misto acreditavam que as regras não valiam para elas, o que produzia conflitos.

O primeiro inquérito aberto pela CVM envolveu justamente uma delas, a Petrobras, sobre a qual pesavam suspeitas de vazamento de informação privilegiada para beneficiar alguns acionistas. As suspeitas nunca foram comprovadas, mas o episódio trouxe a possibilidade de aperfeiçoar mecanismos. A grande prova de fogo para a CVM viria dois anos depois de sua criação, com o que ficou conhecido como "o caso Vale".

Em um dia de abril de 1980, faltando 10 minutos para o encerramento do pregão, um volume brutal de papéis da estatal Companhia Vale do Rio Doce foi negociado na bolsa do Rio de Janeiro: 98 milhões de ações, o dobro do que havia sido transacionado na véspera, 20 vezes mais do que a média dos dias anteriores. Quem havia vendido os papéis era ainda mistério; só mais tarde se soube que a iniciativa – um fato relevante não comunicado, o que violava as regras da CVM – partira do próprio governo. O então ministro da Fazenda, Ernane Galvêas, mais tarde tentaria explicar a operação argumentando que seria necessária para financiar o Proálcool, programa governamental de incentivo à produção de biocombustível e menina dos olhos dos governos militares.

Anos depois, o jornalista George Vidor escreveria:

A CVM abriria uma averiguação inusitada, pois entre os investigados estaria o próprio governo, mais especificamente o Banco Central, de onde haviam partido as ordens de venda. Portanto, a autarquia teria de investigar um órgão ligado ao Ministério da Fazenda, ao qual estava hierarquicamente jurisdicionada na estrutura do governo federal.[5]

A investigação se encerraria em novembro de 1980, com a aplicação de uma multa ao então presidente da bolsa do Rio de Janeiro, Fernando Carvalho, por não ter avisado a CVM. Ainda que, a meu ver, ele tenha sido um bode expiatório, foi uma lição dupla para o mercado: primeiro, que a regulamentação era (deveria ser, nem sempre foi) para valer; segundo, que as estatais estavam sujeitas aos mesmos marcos regulatórios que as companhias abertas. O caso foi bastante noticiado pela imprensa da época, já livre da censura sob o governo do general João Baptista Figueiredo, o último militar a governar o país durante o regime instaurado em 1964.

Naquele final dos anos 1970, menos de uma década depois de eu começar a comprar ações com foco na minha carteira previdenciária, estudei detidamente meus extratos de dividendos, fiz as contas e descobri que não precisaria mais trabalhar se não quisesse. Perto dos 40 anos, já havia garantido uma renda mensal ótima. Desse momento eu me lembro bem, e a sensação foi maravilhosa. Pela conquista em si, claro, mas também porque indicava mais uma vez que eu estava certo: era possível se aposentar pelas empresas.

Nem me passou pela cabeça a ideia de me esticar na areia da praia. Continuei fazendo a mesma coisa, ou seja, comprando ações e reinvestindo meus dividendos em novos papéis. A única

---

5 George Vidor, *A história da CVM pelo olhar de seus ex-presidentes*. Anbima e BM&FBovespa, 2016.

diferença é que eu não precisava mais tirar dinheiro do meu bolso para investir no mercado acionário: recebia os dividendos e logo os reinvestia. Daí a alguns meses esses proventos se multiplicavam na proporção do aumento do número de ações, num crescimento exponencial como uma bola de neve. Além dos dividendos, eu continuava trabalhando com corretagem e reaplicava no mercado tudo o que restava depois de pagas as contas de cada mês. O que me movia continuava sendo aquele medo tão familiar de voltar a ser pobre.

Meu trajeto até a aposentadoria não foi isento de turbulências. À medida que eu comprava ações, perseguindo a meta de ter uma carteira previdenciária cada vez mais eficiente, encontrei um novo adversário: a ansiedade. Quando o mercado tinha oscilações muito dramáticas, ou quando ações de empresas que eu tinha adquirido demoravam a apresentar os resultados que eu antecipara, eu começava a me sentir ansioso. Nessas horas, meu antídoto era lembrar a mim mesmo que investir em ações não é uma estratégia de curtíssimo prazo – é de médio e longo prazo. Nunca duvidei da racionalidade e da viabilidade da minha tese de investimento, mas reconheço que houve momentos em que precisei revisitar meus escritos para aplacar a tensão de quem vive o mercado todo dia.

Nos primeiros anos, eu apenas administrava esse sentimento. Com o tempo, observando o progresso da carteira e constatando que minha filosofia de investimentos funcionava de verdade, aprendi a controlar a ansiedade. Fui ganhando a convicção de que o ganho virá de qualquer maneira, com o tempo, além de disciplina e paciência. No mercado de capitais, lidar com a ansiedade é uma questão de sobrevivência: ela nos leva a pensar de forma inadequada e a perder dinheiro.

Ao longo da minha trajetória como investidor, muitas vezes comprei ações por valores mínimos, confiando em que aquele papel estava barato e não correspondia ao patrimônio da empresa, e as guardei até que minha percepção se concretizasse. Mesmo com muitos me chamado de doido, sobretudo no começo. No entanto, se eu vislumbrasse uma oportunidade de comprar papéis melhores para minha carteira, vendia e partia para os próximos. Isso só foi possível porque meu critério sempre esteve posto e era claro, e porque aprendi a não me deixar dominar pela ansiedade. Mesmo que identificasse papéis baratos, comprava aos poucos e esperava. Pessoas ansiosas, por definição, se impacientam. A impaciência é péssima para os negócios.

Também houve fases em que precisei lidar com o ego e recordar a prioridade que tinha estabelecido lá atrás. A certa altura, lá pelo final dos anos 1970, satisfeito com meus rendimentos, cheguei a comprar uma Mercedes, um carro que talvez valesse, em moeda de hoje, 200 mil reais, talvez 300 mil. Na época, eu morava em um prédio na rua João Julião, travessa de uma praça próxima à avenida Paulista. Era um apartamento bonito, com vista para os jardins do Hospital Alemão Oswaldo Cruz. Lembro que havia um garoto terrível, filho de um morador, motivo de queixas intermináveis nas reuniões de condomínio – uma das artes do moleque era abrir o janelão da sala de seu apartamento e urinar para fora. Ele era o pior, mas havia outros que aprontavam e adoravam riscar carros. Cedo ou tarde riscariam o meu, eu me aborreceria, então por que manter na garagem um alvo potencial? Me desfiz do carro, sentindo um alívio enorme.

Mas a venda da Mercedes suscitou outras reflexões. *Por que ter um carro de 200 mil reais se posso ter um de 40 mil que me leva aos mesmos lugares, talvez até com o mesmo conforto?* Refleti muito sobre as razões que me levaram àquela compra e concluí que tinha sido uma concessão ao ego, uma bengala, a vaidade de poder dizer: *Olha, eu tenho uma Mercedes!* Trabalhei minha mente para exorcizar essa e outras manifestações do ego que apenas me afastavam da minha prioridade. Não foi fácil nem simples, mas essa decisão me aproximou do que sou e do que tenho hoje.

Sobre os carros: nas décadas seguintes só tive veículos que apresentavam bom preço e bom desempenho. Nos anos 1980, troquei regularmente de Chevette. Um carro ótimo, que estava ali para me servir, não para me escravizar. Hoje tenho um carro que comprei zero, em 2020, a 38 mil reais, e que atende bem as minhas necessidades do dia a dia. E, como hobby, tenho um conversível 2006 que vale no máximo 50 mil. Já me ofereceram carro de 1 milhão. Para quê?

Tomei outra decisão que certamente está ligada ao controle da ansiedade: parei de fumar. Foi em 1978, e eu me lembro do momento exato. Eu estava escutando um jogo da Copa do Mundo da Argentina, transmitido pela TV em outro cômodo da casa, enquanto fazia a barba com um cigarrinho pendurado no canto da boca. Então, por alguma distração, eu me queimei – fumava cigarros sem filtro, os mais fortes, de marcas como Continental, Lincoln, Belmont. Eu já tinha tentado parar outras vezes, sem sucesso, mas a dor daquela pequena queimadura acionou uma determinação nova.

Na mesma época, um amigo de pregão, Orestes Mauro Silingardi, que chamávamos de Maurinho, anunciou que ia parar de fumar também. Maurinho voltou ao vício. Eu, nunca mais.

9

A RAPOSA

"Eu não vendi, foi o cidadão que comprou"

Quando comecei a estudar quais empresas fariam parte da minha cesta de boas pagadoras de dividendos, me encantei com a Klabin. Fundada na última década do século XIX pelo imigrante lituano Maurício Freeman Klabin, começou com uma gráfica em São Paulo que fazia "qualquer tipo de trabalho, em litografia ou tipografia, com apuro, pontualidade e preços razoáveis", segundo a edição do jornal *O Commercio* de 1º de outubro de 1893.[6] Em 1924 chamava-se Companhia Fabricadora de Papel (CFP) e já estava entre as três maiores do Brasil. Durante o governo Getúlio Vargas (1930-1945), beneficiada pelo forte incremento à constituição de indústrias de base, mudou seu nome para Klabin Irmãos e Cia. e viveu um grande boom.

Os anos JK (1956-1961), com a diversificação dos hábitos de consumo do brasileiro, abriram espaço para que a empresa lançasse outros produtos, como o papelão ondulado e fios sintéticos. Novas unidades fabris foram incorporadas ao negócio

---

[6] Ronaldo Costa Couto, *A saga da família Klabin-Lafer*. Klabin S.A., 2020.

nas décadas seguintes, ampliando linhas de produtos, alcance e rentabilidade. Sólida, inovadora e bem gerida, com um olhar para as questões de sustentabilidade antes que elas se tornassem uma preocupação planetária, a empresa navegaria bem pelas crises inflacionárias dos anos 1980 e pelas políticas dos anos 1990, equilibrando exportações com o suprimento do mercado interno em sintonia com as necessidades de cada momento.

Interpretei que essa empresa centenária poderia me dar muitas alegrias, sobretudo quando observei a genealogia Klabin-Lafer e depreendi que uma grande quantidade de membros da família tem ações e recebe dividendos. Se os familiares viviam dos dividendos, os acionistas seriam favorecidos também.

Uma vez, fui a um Suzano Day – promovido pela Companhia Suzano de Papel e Celulose, concorrente direta da Klabin e cujos papéis também tenho, em menor quantidade. No evento de apresentação de resultados, o então CEO, Walter Schalka, me perguntou por que eu preferia a Klabin à Suzano. "Por causa dos dividendos, ora", respondi. Schalka, cidadão inteligentíssimo, egresso do ITA, o Instituto Tecnológico da Aeronáutica, deu apenas um risinho amarelo. Na ocasião, me lembrei do que costumava dizer Boris Tabacof (1929-2021), executivo que teve longo e relevante papel no crescimento da Suzano. Estive muitas vezes com Boris, uma das pessoas mais cultas que já conheci, e a cada evento da empresa ele dizia a nós, acionistas: "Este ano tivemos algumas dificuldades, mas o ano que vem vai ser de rachar de dividendos." Esse ano "de rachar de dividendos" nunca chegou, pois a Suzano adotou a filosofia de transferir o ganho do acionista para o mercado, preferindo valorizar seus papéis a fazer distribuições.

Comecei a comprar Klabin na década de 1970, quando a empresa só possuía ações ordinárias. Eu operava pela Magliano, sempre na condição de independente, e certa vez o diretor da corretora me perguntou se eu podia cuidar dos negócios da Klabin. Passei então a comprar papéis para os próprios membros da família, entre eles dona Betty Lafer. Para mim, porém, nunca os adquiria em grande quantidade, porque custavam caro nessa época em que a base acionária era substancialmente menor.

Um dia aconteceu comigo um fato inédito envolvendo as ações da Klabin.

Era sabido que naquela época a empresa, personificada por seu principal executivo à época, Horácio Cherkassky (1918-1994), nem sempre seguia à risca as regras do mercado, como tantas outras que tinham controlador. Não foram raras as ocasiões em que, para anunciar o pagamento de dividendos, a Klabin soltava uma nota que começava assim: "Desde ontem..." Era risível, mas também exasperante: significava que a empresa tinha pagado primeiro os dividendos para a família e só então os papéis se tornaram EX.

E o que significa EX? Na data em que uma empresa paga dividendos, o preço de fechamento de suas ações é ajustado para baixo, descontando o valor pago. Essa é uma conta nada complexa: se uma ação fecha a 20 reais em um dia com direito a 10 centavos de dividendo, no dia seguinte, ou data EX, ela abrirá cotada a 19,90. Esse novo preço é chamado EX.

Lembro que naquele tempo – ainda os anos 1970 – a Klabin possuía ações nominativas e ações ao portador. Os papéis ao portador precisavam aguardar a determinação de quando ficavam EX, ao passo que as ações nominativas ficavam EX na data da assembleia ou da divulgação dos resultados – o que conferia mais agilidade ao pagamento dos proventos. Eu possuía ações nominativas, representadas por cautelas que no verso tinham campos a serem preenchidos quando o acionista recebesse os dividendos que lhe cabiam. As ações ao portador vinham com um cupom destacável.

No dia do fato inédito eu estava contente: a Klabin tinha anunciado uma bonificação de 200% além do dividendo que pagaria de qualquer maneira. Aproveitei o intervalo do almoço para ir à sede da empresa, não muito longe do local do pregão, dar entrada nas providências para receber a bolada. Quem nos atendia, via de regra, era um gerente, pessoa agradável de quem guardo apenas o primeiro nome: Almir. A ele cabia carimbar o verso das minhas cautelas e informar o prazo para o saque do dinheiro, em geral 10 dias depois de cumprida essa formalidade. Eu tinha pleno direito, pois as minhas ações já eram EX, diferentemente do que ocorria com os papéis ao portador, que ainda estavam em negociação.

Almir e eu estávamos conversando quando Horácio Cherkassky chegou. Almir fez as apresentações:

– Sr. Cherkassky, este aqui é o Sr. Barsi, que compra ações para nós. Inclusive tem também algumas nossas.

Cherkassky me olhou torto e disse com todas as letras, alto e claro:

– Na bolsa só tem ladrão.

Naturalmente, fiquei ofendido. O homem tinha me chamado de ladrão?!? Tinha, e não só a mim, mas a todas as pessoas que trabalhavam comigo. Eu precisava provar que ele estava errado. Tive uma ideia.

– Doutor Cherkassky, o senhor está enganado. O que mais tem na bolsa é otário.

Ele ficou quieto e foi embora, sem se despedir nem se desculpar.

No dia seguinte, coloquei meu plano em prática.

Minhas ações, descontado o valor pago em dividendos e

bonificação (ou seja, eram EX "tudo", como costumamos dizer), valiam naquele momento cerca de 90 reais – usemos a moeda de hoje para facilitar a comparação. O valor cheio do papel em negociação era 290 reais. Eu ia armar uma pegadinha: coloquei na tabuleta – a lousa na qual se escreviam as cotações de compra e venda do papel – que eu estava vendendo minhas ações da Klabin por 290 reais, como se não fossem EX.

No mercado, naqueles dias, podíamos atribuir aos nossos papéis na tabuleta o valor que quiséssemos. Se haveria ou não comprador, bem, isso é outra história. Pois eu coloquei na tabuleta, houve comprador e vendi pela quantia que pedira. O assessor de um dos diretores da bolsa mandou me chamar e me alertou sobre o preço "equivocado".

– Não está errado – contestei, com toda a calma.

– Mas você vendeu! – o assessor insistia.

– Eu não vendi, foi o cidadão que comprou. Eu só deixei na tabuleta, não apregoei nem nada.

E era a verdade cristalina: não saí gritando que queria vender, apenas deixei a oferta escrita na pedra. Quem se interessou em comprar foi o outro.

Mesmo assim, o assessor chegou a dizer ao comprador que as ações eram EX, mas a pessoa pensou que eram apenas EX dividendos, não bonificação. O negócio foi a leilão e a compra foi fechada. A 290.

Havia otários na bolsa.

No dia seguinte, repeti a operação e vendi mais ações da Klabin a um valor um pouquinho menor, porém ainda muito acima do valor EX. Em três dias me livrei de todos os meus papéis EX e, com o dinheiro, comprei papéis cheios, ao portador. Um dos que compraram essas ações minhas foi o dono de uma grande corretora na época que, ao perceber o ocorrido, me ligou, louco da vida.

– Barsi, você me vendeu umas ações EX pelo preço cheio!

– Eu vendi? Você está brincando.

– Como assim? – A voz do outro lado soava cada vez mais indignada.

– Eu não apregoei, foi você quem comprou. Você é que não teve a competência de olhar primeiro o boletim da bolsa e constatar que o papel estava EX.

Outros operadores e donos de corretora me abordaram com queixa semelhante. Eu insistia no argumento de que não tinha vendido: eles é que tinham comprado. Estava no meu direito de pedir quanto quisesse pelos papéis, deixando ao discernimento do investidor comprá-los ou não pelo valor que eu pedia. Eu havia montado uma ratoeira e muitos tinham caído. Houve quem entrasse com uma representação contra mim na bolsa. Eu mesmo construí minha defesa e fiz com que constasse nela a primeira página do boletim da bolsa, com a informação de que as ações nominativas da Klabin estavam EX. Se era uma informação pública, o problema da compra não era meu, que apenas tinha colocado o preço, e sim de incompetência de quem havia comprado. O superintendente na época me passou um sermão, mas acabou por admitir que minha argumentação era pertinente.

Passados os 10 dias de costume, voltei ao escritório da Klabin para pegar o cheque dos dividendos. Na mesma saleta da outra ocasião, encontrei Almir tentando acalmar um Cherkassky enfurecido. Minha negociação tinha chegado até eles e Almir não pensou duas vezes antes de direcionar a raiva do chefe para a minha pessoa.

– Quem vendeu foi o Sr. Barsi aqui. – E apontou para mim.

Não me abalei.

– Eu não falei, doutor Cherkassky, que não existia ladrão na bolsa, só otário?

Cherkassky gritava tanto que se ouvia no andar inteiro, mas as negociações estavam liquidadas e nada mais havia a fazer. Acabei triplicando a quantidade de ações da Klabin que eu possuía graças à incompetência dos outros operadores. Passei a brincar com meus colegas dizendo que a tabuleta era o melhor operador do mercado. Depois os sistemas se aprimoraram, com a introdução do cartão magnético para registrar as negociações da bolsa e do sistema CATS. A tabuleta perdeu o posto e ratoeiras como a que eu montei deixaram de ser possíveis.

—.—

E um dia, muitos anos depois, eu recebi o "troco" – se é que se pode dizer dessa maneira.

Por sua solidez e pelos bons dividendos, acabei elegendo a Klabin uma das empresas da minha carteira de renda mensal. Executivos mal-humorados nunca foram determinantes nas minhas decisões de investimento.

No entanto, mesmo as empresas mais consistentes podem pregar peças em seus acionistas.

Em 2014, a Klabin optou por elevar sua governança corporativa para o nível 2, estabelecendo a equidade de tratamento entre todos os acionistas. Essa medida suprimiu os 10% a mais de dividendos a que os proprietários de papéis preferenciais tinham direito. Em troca, os acionistas ganharam o *tag along*, uma ferramenta de "segurança" que garante aos minoritários (como eu) o direito de deixar a sociedade caso a empresa seja vendida a um novo investidor.

Ocorre que isso não me interessava. Meus papéis eram preferenciais, pois desde o início montei minha posição na Klabin com o objetivo de maximizar dividendos. Na prática, aquela decisão, aprovada em assembleia pela maioria dos acionistas – mas sem minha aquiescência –, significava para mim uma perda de 10% em dividendos. Compreensivelmente irritado e inconformado, escrevi uma carta à SEC (Securities and Exchange Commission, órgão independente americano que corresponde à CVM brasileira), pois a Klabin negocia seus papéis na bolsa de Nova York. Recorri à SEC por sua fama de durona com as empresas, achando que seria mais eficaz do que protestar junto à CVM. Aleguei que a Klabin tinha trocado o meu direito objetivo de receber 10% a mais por um direito subjetivo que adviria se um dia a empresa fosse vendida – algo que eu não apoiaria. A SEC respondeu informando que essa divergência deveria ser resolvida na Justiça brasileira – negando-se, na prática, a cumprir seu papel, que deveria ser proteger o pequeno investidor.

Já que mencionei a proteção ao pequeno investidor, há um comentário importante que eu gostaria de fazer. Um movimento que observo e que, a meu ver, é nocivo para pequenos – ainda que entre esses possa haver investidores como eu.

Meu amigo Décio Bazin costumava dizer que precisamos fazer a justa distinção entre bolsa e mercado, palavras muitas vezes usadas como sinônimas. Bolsa, dizia ele, "é a parte administrativa dos negócios feitos no mercado. Mercado é o salão em que operadores, de viva voz e aos gritos, compram e vendem ações em nome dos clientes". Hoje não temos mais o saudoso pregão viva voz, mas basta adaptar o conceito às novas tecnologias e a distinção persiste.

Penso que precisamos defender mais o mercado, e isso pode

significar, lamentavelmente, em algumas circunstâncias, atacar a bolsa. Hoje o mercado sente muito a falta de um contingente de aplicadores individuais, como os que existem nos Estados Unidos. A bolsa está tomada por fundos, que administram o dinheiro de milhares de aplicadores, mas não os representam – embora decidam por eles. Compram papéis, manipulam, alugam-nos para empurrar o preço lá para baixo, recompram e realizam lucros pelos quais não pagam impostos. A prática de alugar papéis degenera o preço deles, afasta-os da realidade da empresa. Os fundos geram prejuízos enormes para as carteiras. Locação de ações é algo que sempre existiu, não apenas no Brasil, mas em vários países desenvolvidos. Mas não na proporção que tomou hoje na nossa bolsa. Esse é um ponto que vou explorar adiante.

A bolsa muitas vezes demonstra um viés de comportamento autoritário, mas nem sempre tem a autoridade legal que ela própria se imputa. O fato de as ações não serem mais nominativas, em que se exige o registro do nome do proprietário, mas ao portador, isto é, sem a identificação dos titulares, deixa a operação mais opaca. Eu me lembro com alguma nostalgia dos tempos em que tínhamos cautelas, ainda que entenda que o volume de negócios dos nossos dias não mais condiz com esse formato. Mesmo que, no passado, isso tenha me dado alguns sustos. Há algumas décadas, tive 20 mil ações da Usina Santa Olímpia, de aço e ferro, há muito falida, com cautelas numeradas. Guardei essas cautelas, que eram amarelas, num envelope da mesma cor. Tempos depois, abri o envelope, não vi as cautelas lá dentro, rasguei e joguei tudo fora. Corrigi o erro procurando a corretora onde tinha feito a operação e pedindo a numeração dos papéis. Dados obtidos, fui ao Fórum, emiti uma segunda via, ao portador, e provei que eram minhas.

Hoje, os papéis são como carros sem placa – ativos sem certificado de propriedade, como dinheiro.

Vejo negociações que claramente manipulam o valor dos papéis sob o silêncio ensurdecedor da bolsa. Se a bolsa concede o recinto, ou, como hoje, as estruturas mecânicas para os investidores negociarem, era de esperar que trabalhasse por uma equivalência das forças em movimento. Pois os fundos produzem uma desigualdade imensa, manipulam preços, prejudicam os pequenos. Esta é minha humilde opinião.

De volta à Klabin e a seu movimento, nos anos seguintes outras empresas seguiram esse mesmo caminho de cortar dividendos de acionistas preferenciais. Atingidas pela recessão que se aprofundou desde a segunda metade do primeiro governo Dilma Rouseff, foram buscar capital em dólares, o que exigia aceder a determinados protocolos de governança. Raras vezes os pequenos tiveram voz.

10
O CRÍTICO DA AGIOTAGEM

"O que pode ser mais seguro do que uma empresa?"

No início da década de 1980, quando eu julgava ter a tranquilidade da minha aposentadoria pelas empresas, o país se preparava para grandes turbulências na economia. Minha carteira previdenciária seria duramente posta à prova.

Naqueles anos duros, o brasileiro sofria para proteger da inflação recalcitrante o pouco dinheiro que entrava ou que tinha conseguido poupar. Em 1980, ela bateu em 110%. No ano seguinte, passou de 95% e, em 1983, chegou a escandalosos 211%. O governo Figueiredo, com Delfim Netto à frente do Ministério do Planejamento, recorria ao FMI em busca de fundos para financiar a dívida pública e assinava sucessivas cartas de intenções que nunca eram cumpridas – até que o próprio órgão suspendeu os desembolsos.

Minha lembrança dessa época é que o país oscilava entre as agruras da inflação e a expectativa por eleições diretas, que, no entanto, só viriam a ocorrer em 1989. Em janeiro de 1985, o Colégio Eleitoral escolheu Tancredo Neves, do MDB, partido de oposição, para a Presidência do país, derrotando Paulo Maluf, candidato da Arena, o partido da situação. Como se sabe, Tancredo jamais tomaria posse, vitimado por um quadro infeccioso que o levaria à morte em 21 de abril do ano que deveria ter sido o seu primeiro de governo. Seu vice, José Sarney, assumiria a Presidência e, em fevereiro de 1986, lançaria o Plano Cruzado, anunciando o congelamento do câmbio, de preços e de salários e instituindo o cruzado como nova moeda, em substituição ao cruzeiro, com corte de zeros. Ao Plano Cruzado, que logo desandou, seguiram-se outros planos cujo objetivo era vencer a inflação, mas que apenas agravavam a sensação de instabilidade: Cruzado II (novembro de 1986), Bresser (junho de 1987), Verão (janeiro de 1989). Eram sucessivos congelamentos, cortes de zeros e mudanças de nome da moeda sem qualquer resultado louvável. Minha opinião é que nunca tivemos no Brasil um verdadeiro plano econômico, que trouxesse embutida uma visão do país em que queríamos nos transformar nos anos seguintes.

Ao atravessar tantos "planos econômicos", crises e turbulências, fui construindo minhas próprias convicções, e infelizmente não tenho em alta conta os governos. Não acredito nos índices oficiais e, embora o Brasil tenha um elenco de bons economistas, grande parte deles se aposentou pelo Estado, algo em que não acredito, como já deixei claro. Acredito nas empresas e na geração de riqueza por meio delas e do trabalho de tantos brasileiros.

Se a inflação oficial era galopante, o que dizer da inflação que cada um de nós, individualmente, percebe na própria vida? Na verdade, o número oficial é apenas um parâmetro para o mercado e a sociedade, mas acredito que cada indivíduo tem a sua inflação pessoal. Todo começo de ano anoto numa folha de papel os meus maiores gastos – de meias a remédios e pasta de dentes, com muita atenção aos detalhes, alguma coisa perto de 30 itens.

No final de dezembro, volto à lista e atualizo os preços desses bens que são do meu consumo cotidiano, e assim apuro a minha inflação pessoal, que raramente fica abaixo de 25%, muitas vezes se aproximando dos 40%. Assim, essa inflação "do governo" é uma ficção.

Eu defendia a tese de que as ações são a melhor maneira de proteger nosso dinheiro da inflação. Acreditava que elas se provariam investimentos seguros e rentáveis mesmo sob tempestade. Mas eu parecia falar sozinho.

O brasileiro tem um pavor ancestral de comprar ações de empresas. Formulei algumas teorias sobre isso e peço licença para expô-las aqui, correndo o risco de irritar meus leitores. Minha intenção é que reflitam sobre a forma como investem seu dinheiro.

Na minha longa vida de investidor, nunca conheci um banqueiro que patrocinasse um programa na linha "Compre ações!". Nunca conheci nem conhecerei, ainda que viva muitos anos mais. Já tive grandes amigos que eram comentaristas de economia, e a todos perguntei por que não falavam do mercado de capitais, insistindo em recomendar a renda fixa. Um deles chegou a me dizer, em um tom meio jocoso: "São os bancos que pagam meu salário, Barsi."

Há alguns anos, o jornal *Valor Econômico* destacou dois repórteres para procurar diferentes bancos e contar a mesma história: tinham uma quantia importante e desejavam comprar ações para ganhos de longo prazo. O que aquela instituição recomendava? Os gerentes de banco os tratavam como malucos. "Por que comprar ações? Você vai perder dinheiro, ficar pobre", diziam. Um funcionário chegou a desaconselhar a compra de ações da Vale porque "ela vai ser privatizada" – sendo que, àquela altura, a Vale já estava privatizada fazia tempo. A verdade é que os bancos brasileiros preferem captar dinheiro para investir em fundos, que são geridos sabe-se lá como, tirando do dono do dinheiro o protagonismo sobre o que fazer com ele e cobrando taxas de administração caras.

O mercado de valores é universalmente qualificado como um mercado de risco. No Brasil, porém, ele é repleto de oportunidades. Ainda hoje há bons papéis subavaliados com potencial para disparar nos próximos anos. No entanto, da mesma forma que fomos reféns das cadernetas de poupança no passado, apesar de sua rentabilidade pífia, hoje acendemos velas para a renda fixa, que supostamente proporciona grandes "ganhos" em tempos de inflação alta e correção igualmente alta. (A bem da verdade, os brasileiros ainda são reféns da poupança: uma pesquisa divulgada em 2021[7] pela Anbima, a Associação Brasileira das Entidades dos Mercados Financeiro e de Capitais, mostrou que, dos 40 milhões de pessoas que investem alguma coisa, 29% direcionam suas economias para a velha caderneta de poupança, contra 3% que investem em ações na bolsa.)

Afirmar que a renda fixa proporciona ganhos é se iludir. Se a inflação sobe e a rentabilidade da renda fixa a acompanha, não se tem riqueza – quando muito, há recomposição de patrimônio. Mas o brasileiro foi seduzido e induzido a ser um agiota. Quando um investidor aplica seu dinheiro no hoje popularíssimo Tesouro Direto – para ficar só em um exemplo –, empresta ao governo. Mesmo à mercê de instabilidades de toda sorte, acha que tomou uma decisão segura. Ora, o que poderia ser mais

---

[7] Raio X do Investidor Brasileiro, 4ª edição. Disponível em: <www.anbima.com.br/pt_br/especial/raio-x-do-investidor-2021.htm>, acesso em 24 de março de 2022.

seguro do que uma empresa? Empresas têm sua vida exposta, sede física, publicam balanços anuais, são escrutinadas quando há a menor suspeita de irregularidade. Empregam pessoas, geram renda e ainda pagam dividendos que garantem o futuro. A mim causa espanto que tantos investidores hoje não enxerguem riscos nas criptomoedas, por exemplo, mas desconfiem das empresas e das ações.

Não entendo como há gente que se contenta com taxinhas de 4% ao ano em um fundo de renda fixa quando isso pode representar 10% da sua inflação pessoal. Costumo dizer que no Brasil não temos renda fixa: temos *perda fixa*.

Com meu dinheiro investido em ações, eu me protegi da inflação oficial e da inflação pessoal – ainda que não de maneira imediata, porque os papéis, mesmo os nobres, não acompanhavam a alta dos preços. No entanto, a cada mês de abril as empresas eram obrigadas a fazer a correção dos ativos imobilizados, resultando disso, em geral, uma bonificação de 100% – ou seja, para cada ação possuída, o acionista recebia outra "de presente". Hoje em dia já não é assim, pois as regras contábeis não permitem mais a reavaliação de ativos. Como os dividendos são pagos por quantidade de ações, eu recebia em dobro. Sempre recomendei às pessoas que não se ativessem ao conceito de patrimônio, porque ele não contempla o que temos em conta-corrente. O patrimônio satisfaz o ego: tem gente que enche a boca para falar que tem um valor x, sempre muito alto. Isso não me diz muito. O que vale para mim é o dividendo, que corresponde ao fluxo de caixa.

Ao montar minha carteira, sempre tive um olhar comparativo para os dividendos. Imagine uma ação que custa 100 reais e paga 10 reais de dividendo, e outra que custa 1 real e paga

10 centavos de dividendo no mesmo período de tempo. Se em vez de comprar uma ação por 100 reais eu adquirir 100 dessas de 1 real que, no entanto, pagam 10 centavos de dividendo, posso ganhar muito mais caso a empresa aumente os dividendos por ação. Afinal, a remuneração do dividendo é pela quantidade de ações que se possui. Essa é uma conta que muitos investidores não fazem, mas, para mim, é clara como o dia. Isso sem contar o forte efeito psicológico das ações de valor nominal baixo sobre os pequenos investidores. O que parece mais grandioso: ter uma ação que vale 100 reais ou cem ações valendo 1 real cada uma? Ora, para dobrar seu capital, o dono da ação mais cara teria que esperar que ela aumentasse 100 reais, enquanto no segundo caso bastaria subir 1 real. A porcentagem é a mesma, mas o impacto psicológico da ação mais barata faz tudo parecer mais fácil.

É por isso que em 2021, por exemplo, eu me desfiz das ações da Itaúsa, a holding detentora do banco Itaú e de grandes companhias, como a Alpargatas. Naquele momento, a holding mudou sua estratégia e, talvez para bancar novas aquisições, reduziu o pagamento de dividendos a uns poucos centavos. Com esse movimento, perdi o interesse em manter tais papéis na minha carteira. Vendi mais de 2 milhões de ações da Itaúsa e investi em outras empresas melhores pagadoras.

Nenhum cidadão deve ter medo de comprar uma ação se ele o fizer com a finalidade de investir, não de especular. Quem entra no mercado com a mentalidade especulativa nunca ganhará dinheiro. Pode até ser bem-sucedido em uma ou outra operação, mas a longo prazo será sempre um perdedor. O único jeito que descobri até hoje de enriquecer com ações é bem menos mirabolante: comprar, guardar, reinvestir.

11
O INVESTIDOR PROTEGIDO
"Recebi dividendos dias depois do Plano Collor"

Na montanha-russa dos anos 1980, o mercado de capitais se comportou à altura, com grandes altas e grandes baixas. Em um país pródigo em crises como o Brasil, ano após ano eu renovava as oportunidades de testar a validade da minha estratégia de investimentos. E ela ainda não tinha me decepcionado. Mas o Plano Collor pôs em xeque todas as minhas certezas.

No final dos anos 1980, o cenário econômico era de completo descontrole. Em 1988, a inflação medida pelo IBGE chegou a 1.037%, o dobro da que o Brasil tinha conhecido no ano anterior. Em 1989, chegou a 1.782%. Minha filha Louise, nascida em 1994, não consegue imaginar o que é viver sob tamanha carestia. Um conhecido quis comprar um eletrodoméstico que vinha fazendo grande sucesso na época. Pesquisou o preço e dias depois, quando voltou à loja para fechar negócio, descobriu que custava 200% a mais. Era assim naqueles dias.

Mas 1989 era também ano de eleições presidenciais, e havia no ar uma expectativa de mudança. Dois candidatos foram para o segundo turno: Fernando Collor de Mello, um político jovem de Alagoas que tinha ganhado fama em seu estado por combater os "marajás", como eram chamados os funcionários públicos que recebiam salários indecentes, e o líder sindical Luiz Inácio Lula da Silva, que tinha se construído nas grandes greves dos anos 1970 no ABC Paulista. Collor venceu com 53% dos votos e promessas de um governo austero e sem corrupção, acenando com medidas neoliberais e abertura da economia. O mercado aplaudiu, antecipando uma era de prosperidade.

No entanto, 1990 começou com muita especulação. Collor tinha deixado claro que daria um "tiro" na inflação, mas ninguém sabia como. Até a posse, marcada para o dia 15 de março, pessoas e empresas tentavam desesperadamente adivinhar o que viria e buscavam proteção. Com receio de que as medidas afetassem o *overnight* – uma aplicação que rendia da noite para o dia, como bem diz o termo em inglês, e que era onde a maioria da classe média deixava seu dinheiro, na tentativa de resguardá-lo da inflação –, muita gente migrou para a caderneta de poupança, num movimento tão intenso que, no final de fevereiro, os bancos simplesmente deixaram de abrir novas contas de poupança.[8] Mas havia certo sentimento de alívio. Alguma coisa precisava ser feita, e o novo presidente prometeu que faria.

Collor tomou posse numa quinta-feira, e na sexta, dia 16 de março, veio a pancada. O dinheiro dos brasileiros foi confiscado e só se podia sacar 50 mil cruzeiros – como a moeda brasileira voltara a se chamar depois do cruzado novo. Seria algo como 5 mil reais em dinheiro de hoje. O restante ficaria preso nos bancos por um período de 18 meses e depois seria devolvido aos

---

8 Miriam Leitão, *Saga brasileira: A longa luta de um povo por sua moeda.* Record, 2011.

proprietários em prestações (a maioria dos brasileiros nunca voltou a ver um centavo sequer desse dinheiro, e há quem brigue até hoje na Justiça para reaver o que foi confiscado). Segundo os jornais da época, todo o montante que os brasileiros tinham em aplicações, poupança ou conta-corrente chegava a 120 bilhões de dólares, dos quais 95 bilhões foram bloqueados naquele dia fatídico. O país ficou paralisado de surpresa e terror, sem saber como seria o dia seguinte. Houve muitos relatos de suicídio. Foram tempos duros.

Algumas medidas do pacote lançado por Collor afetavam negativamente a operação das bolsas. A emissão de títulos ao portador foi proibida, o que, na prática, significava a extinção dos negócios no *open market*. Com todos os recursos bloqueados, a bolsa ficou praticamente sem dinheiro. No primeiro dia após o plano, movimentou apenas 20 mil dólares, uma fração do que costumava fazer. Nas primeiras duas semanas, chegou a cair 80%.

Eu não tinha bola de cristal e, naturalmente, fiquei perplexo com o bloqueio. Era de uma ousadia inimaginável – e calamitosa.

Graças à minha filosofia de investimentos, eu não tinha dinheiro aplicado nas modalidades afetadas pelo plano. Eu tinha ações e já vivia dos dividendos que elas me proporcionavam havia mais de uma década.

Ainda bem.

Houve alguma tensão, porém, apenas alguns dias após a decretação do plano, o banco Bandeirantes, do qual eu era acionista, distribuiu dividendos já na nova moeda. Isso só foi possível porque Collor capturou todos os ativos, menos as ações. *Ações não são instrumentos de crédito* – são títulos. Quem afirma que ação não tem segurança está falando uma grande bobagem. No

Plano Collor, talvez um dos momentos mais dramáticos da economia brasileira, nem a poupança da Caixa Econômica Federal teve a mesma garantia que os papéis das empresas.

A jornalista Marta Barcellos escreveu:

> Em meio ao turbilhão, porém, o mercado de capitais vislumbrou algumas boas notícias, no pacote repleto de arbitrariedades. O Brasil finalmente seria aberto aos produtos e investimentos estrangeiros, segundo o novo presidente, e as privatizações começariam em breve. Era uma luz no fim do túnel.[9]

E a bolsa precisava muito de uma luz no fim do túnel. No ano anterior, afinal, ela vivera um episódio dramático e ainda não havia se recuperado de todo dele. Esse episódio tinha nome e sobrenome: Naji Nahas.

Não conheço Naji Nahas pessoalmente nem participei das operações em que ele se envolveu. Para mim, foi a segunda figura mais polêmica do mercado, só perdendo para Nagib Audi. Nos anos 2000, houve Eike Batista, dono do "império" de empresas cujos nomes terminavam em "X", mas dos papéis de Eike nunca cheguei nem perto, consciente, desde o início, de que eram apenas fantasia.

Sobre Nahas, tenho uma opinião que pode ser polêmica. Não atribuo a ele a quebra da bolsa do Rio de Janeiro, como tanto se fala, muitas vezes sem reflexão. A meu ver, o responsável pela quebra foi o então presidente da antiga Bovespa, Eduardo da Rocha Azevedo (cujo apelido era "Coxa"), ao mudar mecanismos

---

[9] Barcellos e Azevedo, *Histórias do mercado de capitais no Brasil*, p. 140.

que, de certa forma, puxaram a escada que sustentava Naji Nahas. Acho até que ninguém pesou as consequências de retirar a escada. Quando se deram conta, era tarde demais.

Nascido no Líbano, Nahas chegou ao Brasil em 1969 trazendo uma pequena fortuna, herdada da família, e um apetite para o risco como poucas vezes se viu. Consta que veio para casar e que por pouco tudo não deu errado: o voo que o traria ao Rio de Janeiro foi sequestrado por terroristas árabes e desviado para Cuba. Homem refinado e poliglota, calmo até o último fio de cabelo (como ficaria claro em suas transações na bolsa), Nahas negociou com os sequestradores em árabe e conseguiu que o avião pousasse em segurança em terras cariocas. Tinha 22 anos.

Quando começou a operar na Bolsa de Valores do Rio de Janeiro, seu estilo agressivo logo se destacou entre os corretores. Mas, segundo os repórteres de economia Alcides Ferreira e Nilton Horita,[10] só em 1981 sua atuação na BVRJ atraiu a atenção dos conselheiros da então Bovespa, empenhados em aumentar o volume de negócios em São Paulo. Um deles, Ricardo Thompson, também corretor, ficou incumbido de procurar o investidor e convencê-lo a operar na Bovespa. Apareceu no escritório de Nahas sem hora marcada, entenderam-se rapidamente e Thompson o persuadiu a montar uma posição na bolsa paulista.

Em meados de 1987, começaram a pipocar as primeiras reclamações sobre Naji Nahas às duas bolsas. Vinham de diversas corretoras que operavam para o especulador e estavam encontrando dificuldades em descontar seus cheques. As bolsas reagiram orientando as corretoras a solicitarem mais garantias para

---

[10] Alcides Ferreira e Nilton Horita, *BM&F – A história do mercado futuro no Brasil*. Cultura Editores Associados, 1996.

as operações em que Nahas estivesse envolvido. Em outubro daquele ano, ele escapou por pouco de quebrar: estava vendido até a medula num momento em que as bolsas brasileiras subiam sem parar, com um carregamento de posições de venda em opções com potencial para levá-lo à falência. Foi salvo pelo episódio que ficou conhecido como a Segunda-Feira Negra nos Estados Unidos, um terremoto causado por uma queda brutal do índice Dow Jones com reflexos no mundo inteiro, inclusive na Bovespa, que desabou, viabilizando a liquidação de suas transações. Nahas deu sorte, mas, segundo os jornalistas Ferreira e Norita, "as bolsas chegaram à conclusão de que ele representava uma Mercedes-Benz sem freios".

Naji Nahas era especialista em montar cama de gato – artimanha que tem esse nome porque é um emaranhado do qual o investidor, uma vez preso na armadilha, não consegue se desvencilhar. Eu me lembro de uma das mais importantes que ele preparou – ainda que não consiga precisar o ano. Foi num período em que as ações da Vale do Rio Doce custavam algo como 85 centavos. Nahas operava no mercado de opções, investimentos que garantem o direito de comprar ou vender um ativo (em geral ações) por um valor predefinido em uma data determinada no futuro. Faltando mais ou menos 15 dias para o exercício das opções daquele período, começou um rumor no mercado, espalhado possivelmente por ele e seu grupo, de que as ações da Vale virariam pó e que havia comprador para elas – a 1 centavo. Quem tinha opções passou a vender, e Nahas era o principal comprador, pagando 1 centavo por ação. Poucos dias antes do vencimento, Nahas manipulou os números para elevar o preço dos papéis da Vale a 1 real ou mais (uso a moeda de hoje para facilitar o entendimento). Quem vendeu, sempre a descoberto, não tinha o que entregar. Algumas corretoras fecharam por causa dessa cama de gato em especial.

Em 1988, Nahas lançou mão de um mecanismo de financiamento para quem atuava no mercado de ações que logo ganhou o apelido de D-0. Por esse mecanismo, os investidores poderiam comprar papéis sem dinheiro na mão, recorrendo a financiamentos bancários. Como o negócio seria liquidado apenas cinco dias depois, o comprador poderia revender os papéis nesse meio-tempo, embolsando os lucros. Os especuladores recorriam a financiamentos bancários para rolar suas posições e os bancos, claro, cobravam taxas altíssimas para os novos empréstimos. Além disso, "a cada mudança de mãos, o lote de papéis atingia um patamar de preço um pouco superior, de forma a manter uma valorização permanente para viabilizar o pagamento dos juros da operação financiada".[11]

Nahas se beneficiou fortemente desse esquema. Segundo cálculos da Bovespa, houve um momento em que ele chegou a girar o equivalente a 250 milhões de dólares. Também realizava operações chamadas "Zé-com-Zé", que consistiam em comprar e vender ações para si mesmo por meio de laranjas. Consta que seu motorista particular, sua secretária e seu caseiro emprestaram o nome para que o patrão pudesse manipular uma alta artificial dos papéis.

O conselho de administração da Bolsa de São Paulo pressentiu que aquilo poderia acabar mal e lançou uma série de medidas para cercear a liberdade de movimentos do megaespeculador. A mais rigorosa determinava que 30% dos negócios com ações deveriam ser liquidados no dia seguinte à operação, ou seja, em

---

[11] Ferreira e Horita, *BM&F – A história do mercado futuro no Brasil*, p. 329.

D+1,[12] o que complicou a vida de Nahas. É essa a tal mudança de mecanismo a que me referi, a puxada da escada. Ele não mais podia comprar ações sem dinheiro na mão.

Em 9 de junho, uma sexta-feira, as bolsas de São Paulo e do Rio fecharam em queda de 5,6% e 4,5%, respectivamente, graças aos boatos insistentes sobre a quebra de Naji Nahas. A notícia se confirmou ainda naquela noite, quando se soube que ele tinha dado um cheque sem fundos de 44 milhões de cruzados novos, uma montanha de dinheiro na época. Mas o rombo que poderia se abrir no mercado na semana seguinte chegava a 10 vezes esse valor.

O episódio Nahas ficou conhecido como a maior especulação do país. No fim de semana após a quebra, a CVM e o Banco Central participaram de reuniões frenéticas em busca de uma solução para o buraco. Presente a uma delas, Nahas se recusou a entregar propriedades suas como garantia de pagamento das dívidas e culpou o D+1 por não conseguir mais crédito junto aos bancos. A bolsa do Rio ficou com o maior prejuízo e declinou até fechar definitivamente as portas, no ano 2000.

Nahas e Rocha Azevedo foram enquadrados por crime contra a economia popular. Os dois chegaram a ser condenados, mas o presidente da Bovespa conseguiu ser absolvido no Superior Tribunal de Justiça 10 anos após o escândalo. Nahas arrastou seus processos até prescreverem. Ainda está por aí, atuando de modo discreto.

---

12 Barcellos e Azevedo, *Histórias do mercado de capitais no Brasil*, p. 141.

12

O CONSULTOR

*"Não indico que comprem, apenas
falo o que estou comprando"*

Na minha trajetória como investidor, sempre estive ligado a corretoras, que me ofereciam uma estrutura profissional para atuar. Depois de vender a minha, a Cruzeiro do Sul, em 1971, passei pela Montanarini, pela Barros Jordão e pela Souza Barros, que me ofereciam bastante liberdade para operar e possibilidades cada vez melhores de prosperar. Além disso, sempre gostei de trabalhar em lugares que oferecessem sistemas seguros, assistência jurídica e uma boa equipe de apoio. Quando algo mudava nesse cenário, eu buscava outro lugar. Operei por muito tempo na Cobansa, até que essa corretora foi comprada pelo Grupo Votorantim.

Em 1994, um grande amigo, Valdir Alves Teixeira, me convidou para ficar na Elite, uma corretora tradicional, com matriz no Rio de Janeiro e escritório num prédio de vidro e metal na rua Líbero Badaró, no centro de São Paulo. Eu me mantive ligado a essa corretora por quase três décadas, numa parceria positiva e estimulante que só começaria a arrefecer em meados de 2019, quando a Elite deixou de investir em novas tecnologias. Algum tempo depois, em 2022, seria adquirida pelo banco BTG Pactual. Uma pequena fração do meu patrimônio ficou lá, nessa corretora de que me considerei parceiro fiel por tantos anos.

Nesse longo casamento, estive praticamente todos os dias no escritório discreto, com paredes revestidas de lambri, operando quase sempre na contramão do mercado e em harmonia com o dono, Flávio Snell: tentamos mostrar que o caminho para a riqueza está no investimento, e não na jogatina especulativa. Flávio e eu seguimos caminhos bem diferentes – eu me mantive fiel à minha carreira de investidor, enquanto ele se tornou empresário, proprietário de uma empresa de capital aberto, a Metisa, Metalúrgica Timboense S/A –, mas sempre cultivamos uma relação sólida e respeitosa.

Cheguei à Elite como um consultor econômico-financeiro independente, função que equivale hoje à do agente autônomo de investimentos (AAI). Vale lembrar que a figura do AAI foi oficializada em 2008, e os candidatos ao posto precisavam se submeter a uma prova. Quando essa mudança se consolidou, passei a operar apenas para mim mesmo, e entreguei meus clientes a João Malta, que ainda segue atendendo-os. Hoje sou um profissional de mercado, mas não atuo profissionalmente para terceiros. Com a palavra, João:

A bolsa é fluxo de dinheiro, hoje mais do que nunca. Às vezes uma empresa lança um balanço ótimo, mas se o mercado está ruim, não adianta, os gestores vendem. O fluxo do dinheiro hoje é mais importante até do que o resultado do negócio.

Mas o Barsi sempre teve uma grande inteligência para lidar com esse cenário. Sempre leu muito estatuto de empresa, sempre foi de visitar fábrica e conversar com os diretores financeiros. Nessas conversas, ele sempre captava alguma coisa nas entrelinhas. Se o diretor conseguia convencê-lo de que uma empresa estava trabalhando bem e se, estudando o balanço dessa empresa, ele concordava, saía comprando os papéis. Não dava trela para as pessoas que diziam que aquele negócio ia falir, porque acreditava no próprio julgamento. Quando todo mundo vendia a preço de banana, ele comprava.

No começo, em especial, ele fazia muito giro e assim se capitalizava para comprar novas empresas. Imagine, por exemplo, que ele tivesse comprado 2 mil ações de uma boa companhia, em cujo desempenho ele confiava, por 50 centavos cada ação. O papel ia a 1 real na semana seguinte. O que ele fazia, então? Vendia mil ações, recuperava seu investimento e guardava as outras mil, para nunca mais vender. No balanço pessoal dele, aquelas mil ações que tinha guardado saíram de graça. Ele fez muito isso, a vida toda. E assim, guardando boas ações que pagavam dividendos, ele foi formando o que chamou de "carteira previdenciária".

Quando começamos a operar juntos, nos anos 1980, muitos de nós éramos empregados de corretoras ou de bancos, assalariados. O Barsi era diferente, de certa forma autônomo, mesmo quando ligado a corretoras. Quando ele vinha com aquela conversa de "carteira previdenciária", nós, que trabalhávamos na operação, atendendo clientes das corretoras, não entendíamos muito bem a proposta. Digo, a maioria.

Mas houve alguns que pararam para prestar atenção no que ele dizia e estão por aí até hoje, em situação financeira muito confortável, vivendo de dividendos.

Infelizmente, não sou uma dessas pessoas. Entrei na roda-viva da bolsa, ganhei, me alavanquei, perdi, e se hoje tenho uma situação estável é porque a certa altura entendi que podia ser diferente. Desse entendimento nasceu uma parceria com Barsi, cujos clientes do passado atendo até hoje, como agente autônomo.

Atualmente, a cultura é do imediatismo. A maioria das pessoas não entendeu que quando a bolsa cai, surge uma oportunidade para comprar papéis mais baratos e ter mais quantidade, o que significa mais dividendos. Porque os dividendos são pagos de acordo com a quantidade de papéis que se tem, não com o valor da ação. O cara investe, perde dinheiro numa dessas baixas e nunca mais volta, quando sabemos, por experiência, que uma hora a bolsa volta a subir. Quase sempre, esse investidor frustrado vai para a renda fixa, que o Barsi chama de "perda fixa" porque não repõe nada, nem a nossa inflação individual.

Eu mesmo desisti da bolsa no começo dos anos 2000 e abri dois negócios, que não deram certo. Aí voltei e fui procurar emprego em corretora. O Barsi me encontrou na Elite e me convidou a trabalhar com ele. Já estamos há uns 15 anos juntos e ele confia em mim, no meu trabalho e no meu conhecimento do mercado. No tempo da Elite, ele se sentava do meu lado e trocávamos ideias sobre muitas coisas, não só sobre o mercado. Construímos uma parceria e somos amigos.

> *Sempre aprendo com ele. Como qualquer investidor, o Barsi não acerta sempre, mas, como ele diz, procura acertar no mínimo 7 em cada 10 compras. Acho que ele é modesto nesse ponto.*
>
> João Malta, economista,
> assessor de investimentos (AI) e investidor

Na Elite, uma corretora de porte médio com muitos clientes tradicionais e fiéis, eu sabia que encontraria receptividade para as minhas teses de investimento, que até ali haviam me proporcionado uma aposentadoria bastante confortável.

O caminho do investimento em ações é seguro. Quem faz essa opção não perde.

Como consultor, e também para mim mesmo, naturalmente, todos os dias eu estudava o mercado, procurando empresas boas e baratas, cujas ações estivessem descontadas por motivos diversos – mas que poderiam se reerguer com uma boa gestão. Uma vez reestruturadas, essas empresas poderiam se revelar galinhas dos ovos de ouro. Eu analisava os estatutos, me informava sobre quem eram os diretores e os controladores – se eram uma família ou profissionais –, esmiuçava a base acionária e os projetos. Sempre que possível, visitava as plantas industriais e, uma vez nelas, perguntava aos operários o que achavam da empresa. Se eu decidia que era um bom lugar para investir o meu dinheiro, tinha o hábito de passar um e-mail ou ligar para amigos e clientes relatando as minhas conclusões. Essas conversas sempre terminavam com: "Então, fulano, por isso estou comprando." Eu me limitava a informar o que vinha adquirindo, para o caso de aquela pessoa também achar interessante. Nunca fui de dizer a alguém para comprar determinado papel.

Mas sempre dizia para escolher bem e comprar papéis.

Eu falei e falei e falei, sempre e quando pude. Expus minhas teses a outros investidores e mostrei meus resultados. Mas não me considero bem-sucedido nisso, pois não convenci muita gente a seguir meu caminho. Não foi por falta de apoio do dono da Elite, Flávio Snell, que sempre procurou desenvolver uma atividade conceitualmente positiva em termos de corretora. Se ele não ganhou tanto quanto eu, foi por ser sócio de corretora e estar sujeito a obrigações que não me afetam como investidor. Na Elite sempre fui considerado um parceiro confiável. Tive algumas oportunidades de me tornar sócio, pelas quais sou grato, mas não atendiam ao meu desejo de fazer o que, modestamente, acho que faço melhor: administrar carteiras, não empresas.

As corretoras estão sujeitas a determinadas regras que, a meu ver, limitam seu crescimento. Ao longo dos anos, ao chamar para si os resultados e tornar-se contraparte central, isto é, o elo entre vendedores e compradores, a bolsa foi tirando competitividade das corretoras, que se pulverizaram e deram origem a disputas que acabaram por canibalizar o setor. Como consultor independente, nada disso me afetava.

Na Elite, um dos primeiros clientes que enxergaram o potencial da minha estratégia de investimentos foi Luiz Carlos Cintra. Ex-diretor financeiro da CESP – a empresa do meu ensaio *Ações garantem o futuro* –, Cintra chegou a mim apresentado por um assessor da empresa, Paulo Mente. Tinha cerca de 45 anos, dois filhos pré-adolescentes e um pequeno problema cardíaco que, ele temia, talvez se agravasse. Sua maior preocupação era com os garotos: queria deixar um patrimônio para eles caso viesse a faltar. Com formação em Economia, experiência em administração de empresas, pendor para a pesquisa e uma passagem inconclusa pelo curso de Física da USP, ele tinha estudado vários planos de previdência privada com lupa de cientista e, tanto quanto eu, concluído que eram uma roubada: "Eu ia dar o meu dinheiro para o banco administrar com o compromisso de me devolver depois. Qual o sentido disso?", me falou. Cintra e eu nos entendemos muito bem e viramos amigos. Os filhos dele se tornaram adultos e também passaram a aplicar comigo. Os dois "garotos", hoje na casa dos 40 anos, já são aposentados por suas carteiras de ações de empresas e trabalham por gosto.

Eu já não era tão jovem quando comecei a me preocupar com a aposentadoria e não haveria tempo para formar um montante expressivo. Quando me falaram do Barsi e da possibilidade de aplicar em ações, marquei uma conversa. Ele me explicou sua filosofia de investimentos e eu vi que tinha lógica. Não adiantava querer que o dinheiro se multiplicasse de uma semana para outra. Era uma questão de tempo, disciplina e paciência.

Até então, eu era um profissional extremamente ocupado e estressado, administrando as finanças de uma empresa que faturava 2,5 bilhões de dólares por ano. As minhas finanças eu resolvia assim: entregava cheques assinados para a secretária, ela pagava as contas e o que sobrava investia num fundo qualquer. Um dia pensei: "Isso não está certo. Por que eu cuido com tanto zelo do dinheiro da empresa e não administro os meus caraminguás?"

Com as orientações do Barsi, fui comprando ações ao longo desses quase 30 anos de convivência, sem grandes especulações, e meu pequeno capital se multiplicou quase uma centena de vezes. Eu já tinha especulado um pouco na bolsa nos anos 1970, mas ele me mostrou o investidor que eu podia ser. Sou aposentado pelo INSS, paguei a vida toda pelo teto de contribuição, mas, pelos cálculos mágicos do governo, minha aposentadoria terminou sendo de apenas quatro salários mínimos, um tombo muito grande em relação aos meus ganhos anteriores. Esse tombo só não ocorreu porque eu pude contar com os dividendos. Como o Barsi, sou um aposentado pela minha carteira de ações de empresas. Elas é que pagam praticamente todas as minhas contas.

Em 2014, com o país em uma crise pesada, o rendimento das empresas caiu muito, e o da minha carteira de ações também. Estava dando 3% ao ano, enquanto as aplicações em letras de crédito agrícola, as LCAs, pagavam quase 14%. Naquele momento, minha poupança estava 100% aplicada em ações e os dividendos já não eram suficientes para me manter. Então vendi todos os meus papéis e migrei para as LCAs. Na época, não quis comentar com o Barsi, achei que ele se aborreceria comigo. Um dia ele soube e me ligou. Atendi receoso, e eis que ele me diz: "Pô, Cintra, você está aplicando em LCA, não é? Entra em contato com o meu gerente do Banco do Brasil, diz que é meu amigo e ele vai fazer uma taxa melhor pra você."

Liguei para o banco, conforme ele tinha indicado, e o tal gerente de fato me ofereceu uma rentabilidade melhor. Achei que levaria uma bronca, mas ganhei um upgrade na minha aplicação. Esse é o Barsi.

Para mim, ele é um sábio, um mestre no sentido oriental do termo. O fato de ter dinheiro jamais mudou o comportamento *dele: continua uma pessoa simples, afável, que lembra um contador de cidade do interior. Ele já era um homem rico quando nos conhecemos – não tanto quanto hoje –, mas nunca ostentou. Certa vez, estive na casa dele em Mairiporã, um lugar agradável, mas sem luxos, tudo muito utilitário. Ele não se tornou a personificação do capitalista, no sentido que Karl Marx definia, um acumulador de ambição infinita. Ganhar dinheiro, para ele, é uma atividade lúdica, da qual deseja que outros participem. Tanto é assim que ele não tem jatinho, iate, mansões. A única coisa que Barsi esbanja é generosidade nas indicações: enquanto no mercado financeiro a maioria esconde o jogo, ele compartilha o que sabe e o que está comprando.*

Às vezes passo na corretora para falar com ele, por não mais que 15 minutos, até para não incomodar, e quando vejo se passaram quatro horas de conversa. Sou capaz de ficar ouvindo o Barsi pelo tempo que for. Gosto quando ele compara patrimônio com rendimento e afirma que a renda é que importa. Os bilhões do patrimônio dele já viraram milhões em momentos de crise na bolsa, mas ele entende que o importante é o dividendo. Cada vez que falamos ele está pesquisando uma empresa nova, como se o mercado fosse um imenso laboratório. Nunca perde a curiosidade, um traço quase infantil, e isso, na minha opinião, é a razão da vitalidade que ele ostenta até hoje, com mais de 80 anos. Não sei se aprendo mais com ele enquanto investidor ou como pessoa, com seu comportamento e sua postura.

Luiz Carlos Cintra, economista e investidor

Naqueles anos 1990, eu tinha dinheiro para viver com conforto, uma base sólida para operar e a cada dia me apaixonava mais pelos desafios do mercado. Também tinha acabado de iniciar um relacionamento amoroso que me trouxe companheirismo e segurança.

Magaly era assistente social formada, mas havia muito trabalhava em corretoras. Eu a conheci em 1983, na Magliano, onde ela fazia todo tipo de serviço ligado a custódia: como as operações eram realizadas com papel, Magaly separava, conferia, organizava, cadastrava. Quando passei a operar pela Cobansa, precisavam de alguém lá para fazer justamente o trabalho que ela conhecia de cor e salteado. Eu a indiquei para a posição, Magaly veio e trabalhou muitos anos lá. Até ali nunca houvera nada entre nós, mesmo porque eu estava em um relacionamento sério com outra pessoa. Mas quando ela pediu demissão, depois de oito anos de um trabalho rotineiro e sem perspectiva de crescimento profissional, eu já estava solteiro novamente – e senti falta dela.

Era uma mulher tranquila e generosa, de hábitos simples como eu, e algo me dizia que combinávamos. Convidei-a para sair e em 1993 começamos a namorar.

Como ela é 18 anos mais nova do que eu, fui pedi-la em namoro para o pai. Embora ela tivesse 36 anos e eu 54, foi uma conversa sobre boas intenções, como ainda acontecia quase três décadas atrás. Eram uma família simples, o pai, funcionário dos Moinhos Santista, a mãe, dona de casa, mas muito afetuosos entre eles e com ela. O pai ficou relutante, preocupado com meus relacionamentos anteriores e a reação dos meus filhos, mas acabou por concordar.

O namoro começou de modo conturbado, com estranhamentos por parte de minha mãe, com quem eu morava desde o final do primeiro casamento, e até com meus filhos, como temera o pai de Magaly. Creio que minha mãe receava que eu deixasse de cuidar dela por causa do novo relacionamento – mais tarde, confessaria esse medo à própria Magaly. Felizmente Magaly teve paciência, e eu me sentia bem ao lado dela. Aquilo passaria, pensávamos.

Vivíamos bons momentos a dois. Lembro que nos fins de semana frequentávamos um restaurante que servia frango com polenta em São Bernardo, no ABC, e depois saíamos para dançar, eu pé de valsa, ela mais travada.

Um dia Magaly me contou que estava grávida. Não foi uma gestação planejada, mas foi muito bem-vinda. Eu teria uma filha, seria pai pela quinta vez, e talvez uma nova chance de exercer a paternidade de um modo que não tinha sido possível com meus filhos do primeiro casamento. Continuamos morando em casas separadas, ela com os pais, eu com minha mãe, mas com a gravidez nossa situação tinha ganhado outro status.

—.—

No começo de uma noite de março de 1994, eu voltava para casa depois de um dia como outro qualquer no mercado. Entrei em casa, tirei o paletó, pendurei na cadeira e comecei a sentir uma forte dor no peito, que foi ficando cada vez pior, até se tornar insuportável. Não quis assustar minha mãe, e por pura sorte meu prédio ficava em frente ao Hospital Alemão Oswaldo Cruz. Peguei o elevador, tentando controlar o medo, atravessei a rua e, já no saguão do pronto-socorro, desabei de tanta dor. Fui atendido imediatamente e só por isso não morri. Era um infarto (quase) fulminante – e o adjetivo não está aí à toa.

Um cateterismo – exame em que um cateter finíssimo é introduzido na veia do paciente e "caminha" até o coração – mostrou um punhado de veias entupidas. Na época, o melhor que se podia fazer por um coração como o meu era uma angioplastia, ou seja, introduzir um cateter com um balãozinho que inflava, alargando a veia bloqueada e permitindo a passagem do sangue. Era preciso manter o balãozinho inflado durante alguns minutos a cada ponto de bloqueio e torcer para que a veia se abrisse, um procedimento tenso, doloroso e um pouco assustador. Ainda não havia *stents*, as "molas" que se fixam nas veias e as mantêm abertas, algo corriqueiro nos dias de hoje. Deu tudo certo, mas fiquei 15 dias na UTI, sem me mexer, porque, segundo me disseram os médicos, era preciso esperar para ver se os caminhos recém-desbloqueados não se fechariam de novo. E, pior, o cardiologista me alertou: "Sr. Barsi, não demora muito e o senhor vai ter que fazer uma ponte de safena aí."

Depois desse evento, tomei alguns cuidados com a saúde e busquei uma vida mais tranquila, tanto quanto possível. Enquanto eu me recuperava, a barriga de Magaly crescia. Tudo indicava que seria uma gravidez de risco, pois ela estava com cirurgia marcada para a remoção de miomas uterinos que causavam dores e hemorragia. Até então, por causa dos miomas, os médicos diziam que Magaly jamais conseguiria engravidar. Quando ela engravidou, diziam que, por causa dos miomas, ela perderia o bebê. Apesar dos maus prognósticos, foi uma gestação tranquila, que nem meu infarto abalou. À época, Magaly trabalhava em outra corretora, e só se afastou em julho, quando teve um sangramento e o médico recomendou repouso.

Louise nasceu saudável no dia 7 de setembro de 1994.

Nos primeiros anos depois do nascimento dela, Magaly e eu

continuamos morando separados. Passada a licença-maternidade, ela voltou à corretora onde trabalhava e minha sogra cuidava da bebê. Minha mãe já dava sinais do Alzheimer que se instalaria nos anos seguintes e a convivência com ela foi se tornando cada vez mais difícil, mas eu jamais a deixaria sozinha. Mais ou menos na mesma época, o pai de Magaly também adoeceu e ela, da mesma forma que eu com minha mãe, assumiu os cuidados com ele, deixando o emprego na corretora. Naquele momento, o arranjo de cada um na sua casa era conveniente para os dois.

Nos fins de semana, porém, eu ficava com ela e com minha filha. Em geral, eu as pegava de carro e descíamos para o litoral. Louise era uma menina esperta e divertida. Lembro que ela com 3 anos não pedia 1 real – pedia 1 dólar. Se eu perguntava onde ela gostaria de passar o aniversário, respondia: "Em Paris!" Ninguém sabia de onde ela tirava essas ideias. Com 5 anos, fomos para o Rio de Janeiro, onde ela ficou frustrada porque não era possível entrar no Cristo Redentor – como havia visto em algum programa de TV. Magaly dizia que eu sempre cuidei dela como se Louise tivesse 20 anos, respondendo às perguntas mais difíceis com explicações ainda mais complicadas e presenteando-a com livros em vez de brinquedos. Ela parecia gostar.

Era uma vida simples, sem glamour, mas boa. Eu era um homem rico, logo caminharia para o meu primeiro bilhão, mas levava a mesma rotina de sempre, confortável, sem ostentação. Com Louise, falava sobre ações e explicava que eram pequenas partes de empresas boas. Quando tinha 14 anos, fiz para ela uma carteira de uma ação só, Ultrapar (UGPA3), que pagaria o equivalente a 300 reais por mês em dividendos. Esse valor seria a mesada dela. Acho que só com uns 17 ou 18 anos essa filha entendeu de fato o que eu fazia e o que tinha construído. Foi quando deparou com uma foto minha na capa da revista *Exame* e uma manchete que apresentava "as maiores fortunas da bolsa". Ao meu lado na foto estavam Lirio Parisotto, de quem falarei adiante, e Guilherme Affonso Ferreira, sócio-fundador da Teorema Capital.

Eu não tinha esquecido as recomendações médicas de cuidar da qualidade de vida. Uma das minhas decisões foi comprar uma casa em condomínio fechado em Mairiporã, cidade de clima ameno na Serra da Cantareira, bem próxima de São Paulo. Eu adorava o lugar, arborizado, tranquilo, as manhãs frescas, os dias de sol quente. Em muitos fins de semana eu subia a serra e nos instalávamos na casa, que era agradável, mas sem luxos. Bem perto havia um clube de campo onde comecei a jogar tênis, um esporte que sempre apreciei e que, de certa forma, combinava comigo: se eu ganhava, o mérito era meu; se perdia, idem. Eu não era um grande fã de esportes de equipe. Foi assim que me aproximei de José Oncins, que jogava tênis conosco. Zé era pai de Jaime Oncins, que viria a ser um dos grandes nomes do tênis brasileiro.

Então, quando eu achava que estava tudo bem, veio o segundo infarto.

Foi em 1998. Eu estava justamente em Mairiporã, jogando tênis com amigos da mesma faixa etária, o que garantia certa equivalência em quadra. Era um dia de muito calor e sol. Lembro que terminei o jogo e tomei um copo de água geladíssima. Comecei a sentir dor no peito, não tão aguda quanto no primeiro infarto, mas forte. Será um choque térmico?, pensei. Fui a uma unidade de saúde local, muito precária, onde me deram um comprimido sublingual, e meu filho mais velho, que estava conosco naquele dia, me levou a um hospital em São Paulo, onde eu poderia ser mais bem atendido. Dessa vez, o entupimento ocorreu numa artéria, a mamária. Fui submetido a novo cateterismo, que identificou o local dos bloqueios, e depois me puseram dois *stents*. Uma maravilha. No dia seguinte, eu me sentia ótimo quando recebi a visita do meu amigo Nello Ferrentini – que, quase 30 anos antes, tinha me convidado a escrever no *Diário Popular*. "Então, Barsi, vamos renovar nosso contrato de amizade por mais um ano?", me disse ele.

Os médicos que cuidaram de mim estavam satisfeitos, mas, no dia da minha alta, fizeram a mesma advertência importante que eu tinha ouvido antes: "Isso não vai poupar o senhor da cirurgia. É uma questão de tempo", alertaram.

13

O INVESTIDOR EXPOSTO

"Uma história de amor e desilusão com os bancos"

Ao longo dos anos 1990, especialmente no final da década, tive uma série de aborrecimentos com meus papéis de bancos e perdi bastante dinheiro. Algumas vezes me perguntei se isso teve relação com meu segundo infarto – hoje, olhando em retrospecto, penso que sim.

Paradoxalmente, meus investimentos em bancos também estão na origem do muito dinheiro que ganhei, numa história de amor e desilusão que, acredito, compartilho com muitos investidores.

Primeiro, a parte do amor.

Desde que comecei a comprar ações, os papéis de bancos sempre me pareceram ideais, porque remuneram bem. O Banco do Brasil foi dos primeiros a compor minha carteira, mas a minha primeira grande bolada, aquela que marca a vida e a trajetória de um investidor, veio de uma instituição estrangeira, o Santander.

O banco espanhol tinha uma participação discreta no mercado brasileiro desde o final dos anos 1950. Em 1982, abriu a primeira agência no país, em São Paulo, e na década de 1990 realizou uma série de aquisições para fortalecer sua presença no mercado brasileiro. A maior delas viria em 2000, com a compra do Banespa, o Banco do Estado de São Paulo, que elevou o Santander ao patamar dos grandes bancos do país. Mais tarde, em 2008, a compra do Banco Real fortaleceria essa posição.

Bem antes dessas grandes operações, porém, o Santander adquiriu dois pequenos bancos dos quais eu detinha ações: em 1997, o Banco Geral do Comércio, de propriedade da construtora Camargo Corrêa, e, em 1998, o Banco Noroeste.

Na ocasião, eu possuía ações do Noroeste fazia quase 20 anos. Lembro que as comprei depois de me desfazer de uma grande posição de CESP, à época já renomeada Companhia Energética de São Paulo. Eu tinha amealhado 2 milhões de ações da CESP, mas o papel havia subido muito, passando de 1 cruzeiro, e assim, a meu ver, deixando de refletir a realidade do mercado. Além disso, já não pagava dividendos tão bons. Vendi tudo para comprar uma empresa que pagasse dividendos mais altos, e o Noroeste era uma das melhores coisas que eu podia fazer com o meu dinheiro.

Meu amigo Valdir – que havia me levado para a corretora Elite – e eu frequentávamos juntos o pregão. Sabendo que eu já tinha uma renda graças aos dividendos que recebia, ele me disse certa vez:

– Barsi, todo mundo que junta algum dinheiro tem uma BMW, de preferência vermelha. Por que você não compra uma também?

– Eu não comprei BMW, comprei BNE4 – respondi, citando a sigla do Noroeste na bolsa.

– E que carro é esse? – perguntou Valdir, sem entender a piada. Expliquei e rimos muito.

Portanto, eu tinha uma boa quantidade de papéis do Noroeste, e, ao adquiri-los, o Santander pagou um ótimo valor: cerca de

5 milhões de reais. Eu nunca tinha recebido um cheque daquele tamanho. Nunca tinha ganhado tanto dinheiro.

Esse ganho está na raiz do meu primeiro bilhão no mercado financeiro. Não usei a quantia, fabulosa para o meu padrão na época, para comprar um imóvel luxuoso nem encher a garagem de carros caros. Aproveitei a oportunidade para acelerar minha compra de Klabin e também de Banco do Brasil, potencializando minha estratégia de investir em empresas que pagavam ótimos dividendos e não perdendo de vista, nem por um momento, que o importante no mercado de ações é a quantidade de papéis que se possui, e não o patrimônio representado por eles.

Da mesma forma que com o primeiro milhão, nunca houve aquele dia em que terminei de fazer minha declaração de imposto de renda e constatei: "Oh, sou bilionário." No dia em que aconteceu, não foi surpresa – apenas o desdobramento natural de uma filosofia de investimentos que eu vinha praticando havia algumas décadas.

Se por um lado as coisas iam bem para mim, o mesmo não se podia dizer do Santander, que havia me propiciado aquele grande salto.

Apesar das aquisições vultosas, o banco começou a operar em meio a uma forte boataria de quebra. As ações despencaram. E eu, que por princípio tinha simpatia por papéis de bancos, pensei: por que não comprar?

As primeiras ações do Santander que comprei, em meados de 2009, custaram 11 centavos. Continuei comprando quando elas atingiram 13, 15, até 17… centavos. Mais uma vez, eu fazia um movimento contrário ao do mercado. Mesmo àquela altura e apesar dos rumores, me parecia tão claro que era uma oportunidade! No exterior, sobretudo na Espanha, onde nasceu, e na Inglaterra, o Santander é um banco respeitadíssimo, com uma participação extraordinária no cenário econômico europeu. Estava fincando raízes na América Latina e já se fazia presente na Argentina, na Colômbia e no Chile. A operação brasileira representava cerca de 20% em relação ao todo, e estava claro que o Santander direcionaria recursos para o exterior por meio de dividendos, beneficiando a mim e outros acionistas minoritários. Não tive dúvida de que isso aconteceria, como de fato aconteceu.

Logo que comecei minha compra de Santander, ainda na fase dos 11 centavos, recebi uma carta da CVM exigindo que eu revelasse de onde partira a "informação privilegiada" que estava me levando a adquirir papéis do banco – em espiral de alta. Em parte fiquei irritado, em parte me diverti, e respondi pessoalmente:

Gostaria de informar à comissão que me formei em três faculdades: Contabilidade, Economia e Direito. Além disso, tenho 40 anos de atuação no mercado e compro ações para guardar. Sou um investidor bastante atento às oportunidades do mercado, de modo que quem me deu a "informação privilegiada" foi o próprio mercado, por meio da minha análise. Recomendo aos senhores que ajam como eu: em vez de fazer questionamentos inúteis, comprem bons papéis e os guardem.

Atenciosamente,
Luiz Barsi Filho

Não obtive resposta nem voltei a ser questionado. Continuei comprando e creio que hoje estou entre os cinco maiores acionistas individuais do banco Santander no Brasil. Naturalmente, com o preço atual dos papéis – entre 30 e 40 reais –, deixei de comprar há tempos, mas minha posição me proporcionou algumas alegrias para além dos dividendos. Durante mais de uma década, como o Santander patrocinou o piloto de Fórmula 1 Fernando Alonso, eu era convidado a assistir aos Grandes Prêmios em São Paulo, no Autódromo de Interlagos. Adorava essas ocasiões, em que podia circular nos bastidores, conhecer os pilotos e olhar os carros de perto.

Poucos acionistas atuais do Santander sabem disso, mas eles devem a mim o pagamento de dividendos a cada trimestre, e não anualmente, como o banco praticou por muitos anos. Vou contar essa história.

Um belo dia, lá pelos idos de 2012, o então presidente do Santander no Brasil, o espanhol Marcial Angel Portela, convidou um grupo de acionistas para um café da manhã nas torres envidraçadas da avenida Juscelino Kubitschek, em São Paulo, onde ficava a sede do banco. O preço das ações já havia subido um pouco; talvez valessem 60 centavos – e eu continuava comprando. Àquele grupo, umas 20 pessoas, incluindo alguns executivos do banco, Portela fez uma apresentação entusiasmada sobre o momento em que se encontrava o Santander, informando que havia ganhado prêmios na Europa por sua importância, que era sólido, admirado, etc. Não houve comentários – todos acreditaram piamente no que dizia o presidente. Até que um executivo do banco, sentado ao meu lado, me disse baixinho:

– Faz uma pergunta, Barsi. Qualquer pergunta, mesmo que ele não goste.

Levantei a mão e o presidente me autorizou a falar.

– Senhor presidente, se o banco Santander é tudo isso que o senhor acabou de falar, com todos esses prêmios e tanta credibilidade... – Hesitei. – O senhor sabe, banco é fidúcia, é confiança. Se o banco é tudo isso, por que a ação só vale alguns centavos de dólar?

O silêncio era embaraçoso. Continuei, respeitoso, mas duro:

– Por que ele vale tão pouco aqui? Perto do valor de mercado dos outros bancos, é quase nada.

Marcial Portela claramente não sabia o que dizer. Ensaiou alguma coisa sobre fatores circunstanciais, quando todos ali sabíamos que o banco podia ter imensa credibilidade no exterior, mas ainda não conquistara a confiança dos investidores e correntistas brasileiros. Para corrigir isso, sugeri que o banco anunciasse proventos trimestrais. De resto, só o tempo traria essa confiança.

Durante algum tempo, também obtive muitos benefícios com papéis do Banco Econômico.

E possuía uma boa quantidade deles, adquiridos de uma maneira, no mínimo, curiosa.

Em algum momento em meados da década de 1980, o Econômico chamou uma subscrição a, digamos, 1,20 real (novamente, uso o real para facilitar o entendimento). Ocorre que esse valor era o dobro do que se pagava no mercado. Ora, por que alguém compraria papéis pelo dobro do preço numa subscrição quando podia pagar 60 centavos, ou até um pouco menos, no pregão? "Ninguém vai entrar nessa", pensei.

Fiquei com aquele assunto na cabeça por uns dias, até ter a feliz ideia de ler a ata da assembleia que havia aprovado a subscrição. Eu era um leitor atento e inveterado de atas, uma leitura monótona, que pouca gente se animava a desbravar (creio que é assim ainda hoje). Não raro, as letras eram tão miúdas que eu recorria a uma lupa. Ali devia haver uma resposta. E havia: o valor de 1,20 deveria ser pago em 10 parcelas, sem juros nem correção. Doze centavos por mês? Sem correção, apesar da inflação mensal de dois dígitos? E havia mais: a cada três meses o banco distribuiria dividendos entre 30 e 40 centavos por ação. Era só fazer as contas. Estava de graça. E ainda podia haver um troco.

Naquela época, a bolsa tinha um departamento de ações que funcionava na rua João Brícola, em um prédio bonito que havia sido comprado de um banco. Lembro que tinha duas moedas grandes gravadas nas portas pesadas, com grades trabalhadas e vidro fosco. Eu me dirigi ao local logo cedo e fui atendido por um senhor meu conhecido, funcionário havia muitos anos. Cumprimentei-o e fui direto ao assunto: soubera de uma subscrição do Banco Econômico. Queria fazer.

– Quantas ações o senhor quer? – ele me perguntou. E estranhou: – Mas o senhor sabe que está acima do valor dos papéis, né?

Expliquei que eu sabia, mas queria mesmo assim.

– Quantas? – ele perguntou.

– Cinco milhões.

O homem me olhou, meio surpreso, mas fechou a operação. Paguei na hora, com um cheque meu: 5 milhões de ações vezes 12 centavos, o correspondente à primeira parcela. Se fossem reais, seriam 600 mil desembolsados no ato. Repeti o procedimento na segunda e na terceira parcelas. Então, passados três meses, o banco pagou um dividendo de 40 centavos por ação, cobrindo com sobra os 36 centavos que eu tinha desembolsado pelas três primeiras parcelas. No ano, somando tudo, o Econômico pagou dividendos de 1,70 para papéis que me custaram 1,20. E fiquei com os 5 milhões de ações, de modo que, ainda por um bom tempo, recebi os dividendos referentes a elas. Com a margem, comprei outros papéis que também pagavam bons proventos, seguindo a estratégia de reinvestimento permanente que era parte da minha filosofia.

Fotos: acervo pessoal

NO ALTO:
Meu pai, Luiz Barsi, e minha mãe, Maria Margarida Ruiz Santos (à esquerda). Eu nasci cerca de um ano após o casamento e herdei o nome dele: Luiz Barsi Filho.

AO LADO:
Com a morte precoce do meu pai, eu e minha mãe fomos morar no Quintalão, um cortiço no Brás, em São Paulo, onde 30 famílias compartilhavam cozinha e banheiros.

Quando solteira, minha mãe (na segunda fileira, a quarta a partir da esquerda) trabalhou numa fábrica de charutos. Após a morte de meu pai, ela voltou a trabalhar fora para nos sustentar.

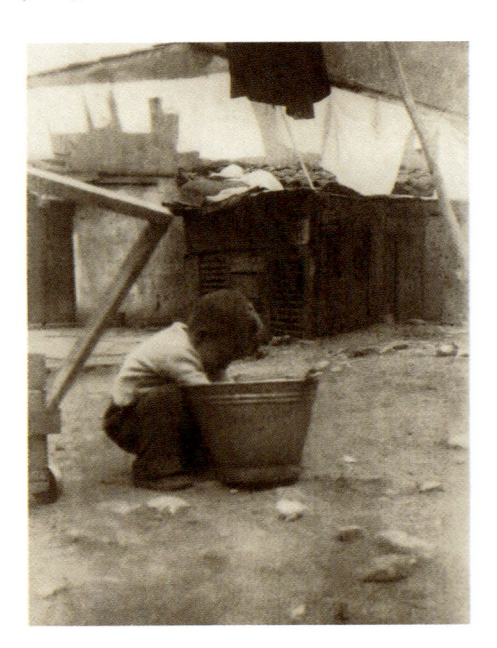

Eu brincando com um balde no Quintalão, no início dos anos 1940.

Na mureta, ao lado da minha mãe, em um raro momento de lazer no Guarujá.

Fotos: acervo pessoal

Num passeio pelo centro de São Paulo com cerca de 13 anos. Na época eu trabalhava como baleiro de cinema.

De bicicleta nos arredores de São Paulo. Meu sonho era deixar o Quintalão e nunca mais voltar para lá.

Fotos: acervo pessoal

Fotos: acervo pessoal

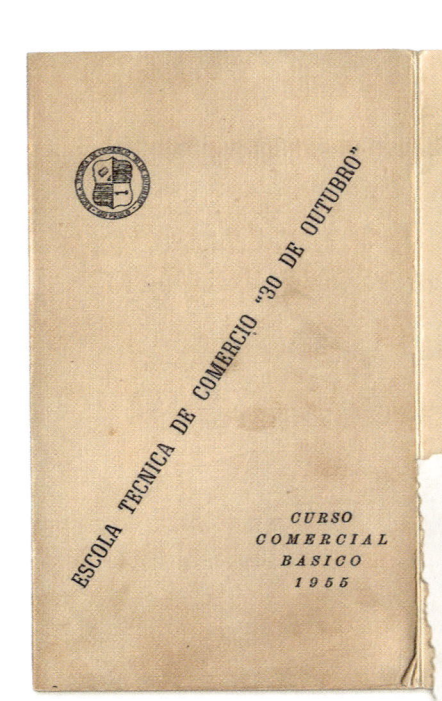

NO ALTO:
Meu convite de formatura da Escola Técnica de Comércio, em 1955, curso que me abriu as portas para trabalhos na área contábil.

ACIMA:
Nos tempos de calouro, de óculos de sol, com meus colegas da Faculdade de Economia no dia do trote.

AO LADO:
Em campo (à direita) para disputar as peladas no Brás: o futebol era minha diversão de fim de semana.

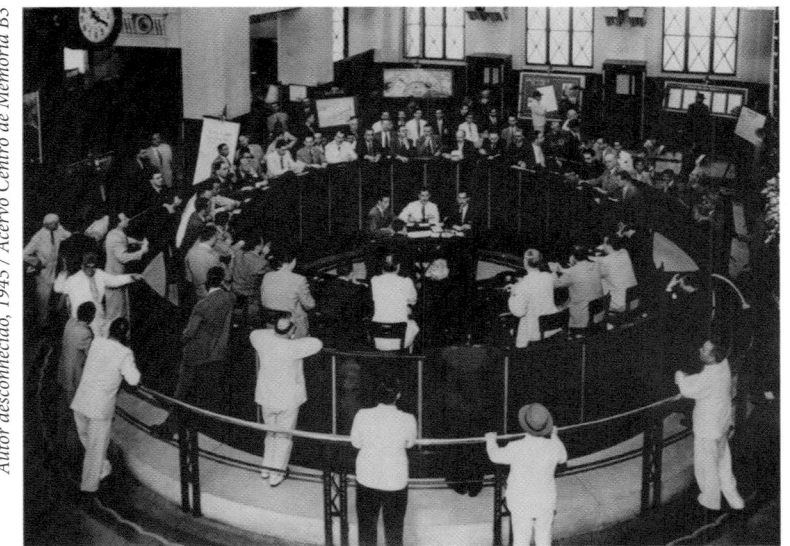

A Bolsa de Valores de São Paulo na época da Corbeille: havia uma roda de negociação em que funcionários apregoavam os papéis em ordem alfabética e investidores manifestavam seu interesse aos gritos.

Quando o volume de negócios se intensificou, no raiar dos anos 1970, a Corbeille foi substituída pelo balcão conhecido como "avião" (foto) e por postos onde eram negociados papéis agrupados por setor.

Esta campanha publicitária de abril de 1972 mostrava a evolução tecnológica da Bolsa de Valores de São Paulo, que saía literalmente da idade da "pedra", como era chamada a lousa onde eram anotadas as cotações das empresas...

Reprodução: Léo Ramos

... e entrava na era eletrônica, com novos painéis em que as informações sobre as ações passavam a ser processadas por computadores. Foi a primeira grande automação da Bolsa de São Paulo.

MERCADO DE CAPITAIS

Luiz Barsi Filho

Na semana passada tivemos a oportunidade de comentar ligeiramente a situação do balanço semestral da S/A WHITE MARTINS, cujas ações para a semana entrante ainda estão com tendência altista.

Divulgamos agora a posição de seus lucros e reservas relativas ao período de (01-07 a 31-12-70), primeiro semestre do exercício financeiro a se findar em 30-06-71.

LUCRO DO SEMESTRE	Cr$ 25.402.947,60
LUCROS EM SUSPENSOS	Cr$ 22.689.787,29
RESERVAS PASSIVEIS DE SEREM INCORPORADAS AO CAPITAL	Cr$ 28.630.836,14
FUNDO DE DEPRECIAÇÕES	Cr$ 23.606.251,26
RESERVA LEGAL	Cr$ 6.601.901,15

Portanto, em apenas 6 meses de atividades, está com Cr$ 76.722.971,03 (cerca de 70,3%) entre reservas e lucros do primeiro semestre, para um capital de Cr$ 109.771.200,00.

Se considerarmos que a empresa tem um imobilizado da ordem de Cr$ 123.784.533,08, que após reavaliado pode eventualmente gerar mais uns 10% de reservas sôbre o capital, e ainda que o resultado do segundo semestre seja pelo menos igual ao do primeiro, tudo indica que provàvelmente encerre seu exercício em 30-06-71 acusando reservas superiores a 100%.

Outro fator que devemos levar em conta é a nova fábrica que está por ser inaugurada em Capuava, provàvelmente ainda durante o transcorrer dêste semestre.

Para os investidores que não visem lucros imediatos, esta é uma ação que poderá proporcionar bons resultados à vista dos números apresentados no balanço.

A CIA. ANTÁRTICA PAULISTA, quando da publicação de seu balanço anual, acrescentou algumas notas esclarecedoras que julgamos oportuno divulgar aos nossos leitores.

O Conselho Diretor da Antártica, deu início, no decurso do segundo semestre de 1970, a reorganização de todos os serviços da empresa, planificado nos têrmos do deliberado pelas AGE de 30-04-68, 29-11-69 e AGO de 29-04-70, que previam a reestruturação de todos seus setores de administração e produção, objetivando com isso minimizar seus custos operacionais, em função de uma maior produtividade.

O que já foi posto em prática até 31 de dezembro de 1970, produziu sensível economia nas despesas operacionais da emprêsa, com reflexos imediatos no resultado econômico do segundo semestre do exercício findo, embora sòmente nos dois últimos meses.

Essa economia, em 1971, será superior a Cr$ 25.256.000,00, com tendência a acentuar-se em razão das medidas complementares ainda em vias de execução, se acrescentarmos que a publicidade da empresa vem se desenvolvendo muito objetivamente, e ainda que, existem boas possibilidades de exportar refrigerantes para o oriente medio, é muito provável que êsses fatores repercutam favoràvelmente nos resultados do próximo balanço semestral.

Cimento Portland Itau apresentou um resultado de Cr$ 19.007.389,89 relativo ao primeiro semestre, estando já previsto um lucro de Cr$ 19.538.114,00 para o segundo semestre do exercício.

As vendas no exercício de 1970 foram de Cr$ 131.861.226,27, ocasionando um aumento de 24,46% em relação ao exercício de 1969.

Como o preço de suas ações tiveram uma ligeira melhoria na última semana — que por sinal foi de apenas três dias é provável que isto venha ocorrer ainda na semana próxima.

Brasmotor S/A, tem apresentado boa negociabilidade durante o transcorrer das duas últimas semanas, tendo o preço de suas ações variado entre Cr$ 1,81/2,03, seu balanço anual acusou um lucro por ação de 0,27, reservas de 59,3%, valor patrimonial da ação 1,45, taxa de lucratividade nos últimos 12 meses de 48,4%, na última quarta-feira, negociada a Cr$ 1,97 seu PL era de 7,30.

Como está atualmente com 59,3% de reservas sôbre um capital de Cr$ 18.228.000,00, e sua AGE talvez não tarde a se reunir, é provável que tenhamos na semana entrante uma procura mais acentuada de suas ações. (Dados extraídos da Resenha Técnica Semanal — Divisão Técnica da Bolsa de Valores de São Paulo — semana de 29-03 a 02-04/71).

A Cia. de Cigarros Souza Cruz está convocando para 20-04-71 uma AGE com a finalidade de deliberar sôbre a proposta da diretoria em aumentar o capital de Cr$ 400.000.000,00 para Cr$ 540.000.000,00 mediante uma bonificação de 35%.

Na última quarta-feira foram negociadas 113.600 ações, variando o preço entre Cr$ 580/595, agora, face à perspectiva dessa bonificação de 35% é provável que suas ações sejam bastante procuradas na semana entrante.

Bundy Tubing também tem apresentado boa negociabilidade em suas ações, seu balanço anual apresentou um lucro por ação da ordem de 0,22, reservas de 85,6%, valor patrimonial da ação Cr$ 1,34, taxa de rentabilidade nos últimos 12 meses de 129,3%, no dia 02-04 último a um preço de Cr$ 2,50 seu PL era de 11,36.

Nesta curta semana bolsística, o preço de suas ações tiveram uma sensível melhora em relação à semana anterior, pois as CP que chegaram a ser negociadas a Cr$ 2,56, (o foram na quarta-feira última transacionadas a Cr$ 2,99, enquanto que as PP de Cr$ 2,40 no dia 05-04, passaram para Cr$ 3,14 no dia 07-04.

Em função de estar com reservas de 85,6% sôbre um capital de Cr$ 10.768.892,00 a procura de suas ações tende a aumentar, dada a expectativa do investidor em usufruir êsses resultados.

Em abril de 1971, comecei a escrever uma coluna intitulada "Mercado de capitais" para o Diário Popular e, tempos depois, me tornei o editor de Economia do jornal.

DIARIO POPULAR · 29 · 4 · 1972

ECONOMIA

LUIZ BARSI FILHO

◆ O ministro Dias Leite presidirá terça-feira próxima no Rio, a assinatura do contrato para elaboração do projeto da etapa final do Centro de Tecnologia Mineral, da Companhia de Pesquisa de Recursos Minerais, o CFM instalará seus novos laboratórios numa área de 30 mil metros quadrados, na Ilha do Fundão, cedida pela Universidade Federal do Rio de Janeiro (U.F.R.J.).

◆ O ministro Delfim Netto representou o presidente Médici ontem à tarde, na inauguração da nova sala de negociações da Bolsa de Valores de São Paulo, parte das comemorações de seu "Jubileu de Diamante" — 75 anos de fundação. A nova sala de negociações onde será realizado o pregão é três vezes maior que a anterior, dividindo-se em duas partes: a primeira, que ocupa um terço da área, é reservada às 134 cabinas telefônicas das sociedades corretoras e aos monitores de vídeo, com imagens selecionadas. A segunda constitui a sala de negociações propriamente dita, com o dobro do tamanho da sala antiga.

◆ O presidente do Banco do Brasil, sr. Nestor Jost, afirmou ontem a banqueiros, exportadores e empresários, reunidos na Associação Nacional de Programação Econômica e Social que, as agências brasileiras do banco no exterior, estão produzindo lucros bastante satisfatórios, além de trazer benefícios indiretos para o País, conseguindo principalmente pelo crédito no mercado financeiro internacional. Sobre a nacionalização ou não da agência do Banco do Brasil em Santiago — Chile — nada foi definido pelo governo chileno, devendo o assunto ser resolvido por vias diplomáticas. Se o governo chileno permitir, o Brasil manterá sua agência operando em Santiago. Comunicou ainda que, as agências de Nova Iorque, Hamburgo e Londres estão produzindo ótimos resultados.

◆ O governador Fernando Guilhon, do Pará, firmou convênio com o Banco do Brasil para dar prosseguimento ao projeto de plantio de oito milhões de pés de cacau no Pará, onde, segundo revelou o secretário da Agricultura, sr. Eurico Pinheiro, já foram plantados 800 mil pés, na região Bragantina. O plantio do cacau no Pará faz parte do projeto de estímulo financeiro do exterior, financiado pelo Banco do Brasil, que visa ainda, além de proporcionar a diversificação das culturas regionais, aproveitar as áreas de onde foram erradicadas as pimenteiras atingidas pelo "vírus do mosaico do pepino".

◆ Reunidos na Câmara de Comércio Brasil-Argentina, representantes de 17 bancos comerciais brasileiros, concordaram em participar de um esquema de incremento no comércio entre os dois países, em colaboração com o Banco da Província de Mendoza. O esquema, que deverá ser acionado a partir de 25 de maio próximo, consiste na coleta e distribuição de dados sobre oportunidades de comércio entre os dois países, a ser feito pela Câmara, para posterior distribuição dos bancos. De posse desses dados, os bancos farão contatos com importadores e exportadores, no Brasil, enquanto o Banco da Província de Mendoza fará contatos com os importadores e exportadores argentinos, proporcionando maior rapidez no acesso às informações de mercado.

Reprodução: Léo Ramos

2.2. Lucratividade apresentada em 1974

Se o investidor tivesse comprado 1.000 ações Cesp Preferencial ao Portador em 02/01/74 ao preço unitário de Cr$ 0,65 (cotação nesse dia), e as vendesse em 30/12/74 a Cr$ 0,71 (cotação do dia), juntamente com àquelas recebidas como bonificação, teria apurado um lucro de 48% no período, conforme demonstrativo abaixo:

aquisição em 02/01/74
1.000 ações x Cr$ 0,65 = Cr$ 650,00

dividendos recebidos
em maio = Cr$ 50,00
em novembro = Cr$ 60,00
Cr$ 110,00

bonificação de 20%
1.000 ações x 20%

venda em 30/12/74
1.200 ações x Cr$ 0,71

receita auferida x 100 − 100
despesa realizada

Aplicando-se a fórmula acima

$$\frac{(Cr\$ 852,00 + Cr\$ 110,00) \times}{Cr\$ 650,00}$$

ÍNDICE

1. INTRODUÇÃO 2
2. ANÁLISE RETROSPECTIVA 3
   2.1. Retrospecto relativo ao triênio 1972/74 3
   2.2. Lucratividade apresentada em 1974 4
   2.3. Comparação com lucratividade de renda fixa 5
3. ANÁLISE PROJETIVA 6
   3.1. Objetivos 6
   3.2. Bases 7
   3.3. Plano de Projeção 8
      3.3.1. Nota Explicativa sobre Quadro nº 1 8
      3.3.2. Quadro nº 1 "Evolução da Carteira de Ações" 9
      3.3.3. Nota Explicativa sobre o Quadro nº 2 10
      3.3.4. Quadro nº 2 "Rendas de Dividendos" 11
      3.3.5. Nota Explicativa sobre o Quadro nº 3 12
      3.3.6. Quadro nº 3 "Dividendos/Investimentos" 13
      3.3.7. Síntese do Plano de Projeção 14

VANTAGENS QUE O PLANO OFERECE 15
1. De ordem geral 15
2. Fatores que recomendam o investimento 16
3. O que o investidor poderá alcançar 17
4. Benefícios Fiscais 17

CONSIDERAÇÕES GERAIS 18
. Comparação de ordem geral 18
. Comparação do Índice Bovespa com a cotação das ações preferenciais 18
. Comparação com as demais ações do mercado 19

CONCLUSÃO 20

— 1 —

AÇÕES GARANTEM O FUTURO

Luiz Barsi Filho

Fotos: acervo pessoal

Em 1974, escrevi o ensaio Ações garantem o futuro *para provar que era possível aposentar-se comprando regularmente ações da CESP (à época, Centrais Elétricas de São Paulo), em vez de investir na previdência do governo. Poucos seguiram meus conselhos.*

Em 1983, com os filhos do meu primeiro casamento Ieda Maria (à direita) e os gêmeos Luciane e Luciano.

Com minha mãe no apartamento da rua João Julião. Moramos juntos por muitos anos depois que me separei.

Com a caçula Louise, da união com Magaly, no pico do Olho d'Água, ponto turístico em Mairiporã (SP).

Fotos: acervo pessoal

Com Magaly e Louise em 2001, andando de gôndola pelos canais de Veneza. Nunca tirei férias do mercado. Onde quer que estivesse, acompanhava a movimentação da bolsa.

Em 2010, celebrando 71 anos com minhas filhas Ieda Maria (à direita) e Luciane (à esquerda) e meus netos na casa de Mairiporã, na serra da Cantareira, próximo a São Paulo.

Como professor convidado da FECAP (Fundação Escola de Comércio Álvares Penteado), na primeira década de 2000.

Em 2007, com Pelé, num evento para acionistas do Banco Santander, que celebrava o patrocínio da Copa Libertadores.

Fotos: acervo pessoal

Em 2019, no Conselho Regional de Economia do Estado de São Paulo, onde dei expediente até 2021, mesmo durante a pandemia.

No metrô Carrão, na Zona Leste de São Paulo, com minha filha Louise, a caminho do trabalho no centro da cidade: é um meio de transporte limpo, rápido e gratuito.

Fotos: acervo pessoal

NO ALTO: *Em visita à unidade da Paranapanema em Dias d'Ávila, na Bahia, em 2018, com Louise e Felipe Ruiz, um dos sócios do AGF.*

ACIMA: *No Klabin Day 2019, reunião de acionistas da empresa, com Fabio Baroni (à esquerda), Louise e Felipe Ruiz. Os três criaram o AGF (Ações Garantem o Futuro), plataforma de educação para o mercado que ensina o método Barsi de investimento.*

Acervo pessoal

Fotos ao lado: © Léo Ramos

ACIMA: *Vestido com o tradicional colete laranja dos operadores de pregão, em outubro de 2019, num dia de comemoração na B3, como a bolsa é conhecida hoje.*

AO LADO: *No centro de São Paulo, com o antigo prédio do Banespa, atual Santander, ao fundo, em ensaio para o lançamento do AGF.*

ABAIXO: *Presente de um admirador, o jacaré simboliza a astúcia dos investidores tanto ao comprar (de boca aberta) quanto ao esperar (de boca fechada).*

Em agosto de 2022, no saguão da B3, hoje totalmente remodelado, onde atuei por tantos anos. Trabalho todos os dias, observando até hoje, com fascinação e curiosidade, as oscilações do mercado que me deu tantas benesses e alegrias.

Na minha interpretação, a operação foi uma artimanha do controlador para aumentar seu poder na empresa (por meio da compra de mais papéis) ao mesmo tempo que auferia dividendos polpudos. Foi algo que ele fez para si próprio. Não esperava que alguém lesse a ata, compreendesse o significado da operação e fizesse a subscrição.

— · —

E aqui começa a parte da desilusão.

O maior acionista do Econômico era o baiano Ângelo Calmon de Sá, um homem influente e poderoso não só na Bahia, sua terra natal e onde construíra seu império, mas também nos corredores de Brasília. Tinha sido ministro da Indústria e Comércio de Ernesto Geisel e, duas décadas mais tarde, do governo Collor, ocupando a então recém-criada pasta do Desenvolvimento Regional.

Eu tinha conhecido o Dr. Ângelo alguns anos antes, quando comecei a ter sucesso como administrador da minha carteira de ações – e também da carteira de terceiros (eu nunca soube se ele tivera conhecimento da minha subscrição tão vantajosa lá atrás). De alguma forma, meus resultados chegaram a ele e o famoso banqueiro me convidou para uma reunião na Bahia. Tinha uma proposta a me fazer. Não era um convite que se recusasse.

O Dr. Ângelo me recebeu na casa dele. Eu estava um pouco tenso e só ficou na minha memória a lembrança de que a casa parecia um palácio. Era um homem de modos afáveis que transpirava autoconfiança. Sem muitas delongas, revelou o objetivo da viagem: queria que eu administrasse os fundos do Econômico. "Dr. Ângelo", respondi, "eu o respeito muito e agradeço o convite, mas não sei administrar um fundo. Sei administrar a minha carteira, porque a minha decisão é a que vale. Se houvesse um comitê para administrar minha carteira, não daria certo, e sabe por quê? Porque não seria eu administrando meu ganho."

Ele ainda insistiu um pouco, mas me mantive firme na minha recusa. O camarada que vai trabalhar com gestão de fundos para um banco é funcionário daquele banco e precisa dar lucro para a instituição que paga seu salário. Por definição, seus interesses nem sempre são favoráveis aos dos acionistas. E eu era um acionista. Nós nos despedimos cordialmente.

No primeiro governo Fernando Henrique (1995-1998), começaram os boatos de que o Econômico cambaleava e FHC poderia decretar sua extinção. Sabendo que eu tinha ações, alguns colegas da bolsa acharam por bem me prevenir. Eu me lembrava do palácio do Dr. Ângelo Calmon de Sá em Salvador e dizia: "O Dr. Ângelo tem um patrimônio exuberante. O Econômico não vai quebrar."

Quebrou.

O Econômico passou a dar prejuízo em meados de 1995 e sofreu intervenção do Banco Central. Tentou-se uma salvação à baiana por meio de um consórcio de empresas locais – entre elas a Odebrecht – e até mesmo um resgaste patrocinado pelo Banco do Estado da Bahia, mas o buraco era muito grande. Novecentos mil clientes tiveram suas contas bloqueadas e as 276 agências do banco fecharam as portas. Algum tempo depois, os correntistas puderam sacar 5 mil reais, em meio a denúncias na imprensa de que 25 milhões de dólares tinham sido transferidos para uma empresa controlada pelo Econômico num paraíso fiscal. Sem falar no que ficou conhecido como "o escândalo da pasta rosa", envolvendo doações milionárias do Econômico para campanhas políticas – acobertadas pela contabilidade do banco, uma vez que a lei proibia doações de pessoas jurídicas. O Dr. Ângelo foi denunciado à Justiça por crimes do colarinho-branco.[13] Em 2007, foi condenado por gestão fraudulenta.

Perdi uma grande soma, que hoje, passados tantos anos, não consigo precisar. Eu tinha 35 milhões de ações. No entanto, considero que aqueles papéis já estavam "pagos", graças aos dividendos que a empresa distribuíra durante anos.

Também investi bastante dinheiro no Banco Nacional. Adorava o fato de ter uma participação no banco que patrocinava o piloto Ayrton Senna, um ídolo nacional. O dono, Magalhães Pinto, era uma figura que parecia impoluta, ex-governador de Minas Gerais, político brilhante e banqueiro competente que havia alçado sua instituição ao posto de terceiro maior banco do país em 1974. Pois o Nacional faliu em 1995, após uma série de fraudes e maquiagem nos balanços, deixando prejuízos da ordem de bilhões à época – a maior parte absorvida pelo governo. A situação era tão inimaginável e a malandragem foi tão extensa que o Banco Central demorou anos para desvendar o esquema por completo. Perdi bastante dinheiro nessa ocasião.

Em 1997, foi a vez de outro banco do qual eu tinha ações pedir falência: o Banco do Progresso. Nós, corretores, o chamávamos de Banco da Bandeira, associando-o ao lema "Ordem e progresso" da flâmula brasileira – apelidos inocentes como esse nos faziam rir nas horas longas e tensas do pregão. Pois desse banco eu tinha nada menos do que 10%. Quando ele fechou, perdi tudo o que tinha aplicado ali. Eu e muita gente. Enquanto eu escrevia este livro, o Banco Central ainda questionava

---

13 Disponível em: <www.fgv.br/cpdoc/acervo/dicionarios/verbete-biografico/sa-angelo-calmon-de>, acesso em 22 de março de 2022.

a conduta do administrador judicial da massa falida (todos os bens e obrigações financeiras do falido) do Progresso, que teria agido em proveito próprio.

Por fim, houve o episódio do Bandeirantes.

Pertencia ao banqueiro Gilberto Faria. Gilberto era um dos herdeiros do Banco da Lavoura, fundado por seu pai, Clemente Faria, e desmembrado em dois pelas mãos dos filhos: Gilberto criou o Bandeirantes e seu irmão, Aloísio Faria, pôs de pé o Real. Eram instituições bem constituídas, com balanços consistentes e um bom histórico de pagamento de dividendos. Eu tinha quase 10% das ações preferenciais do Bandeirantes, que pagavam dividendos gordos e compunham uma parte importante da minha renda de aposentado. Esse percentual tinha dado um salto imenso nos anos 1980, quando li nos jornais que o Bandeirantes faria uma grande chamada de capital ou subscrição. O banco emitiu alguns milhões de ações a poucos centavos cada uma e deixou que os acionistas decidissem quanto queriam comprar. Comprei muito.

Eu estava satisfeito com minha participação.

Em 1998, o Bandeirantes começou a enfrentar dificuldades após a aquisição ambiciosa do Banorte, que privilegiava o varejo de agências e atuava sobretudo nas regiões Norte e Nordeste do Brasil – com uma estrutura de rede até maior que a de seu novo controlador.

Essas dificuldades não assustaram o banco português Caixa Geral de Depósitos (CGD), que viu um bom potencial de penetração no Brasil por meio do controle do Bandeirantes. Mas os papéis não decolavam, e, ao final de dois anos de bate-cabeça, a CGD vendeu o Bandeirantes quase de graça para o Unibanco. Fiquei com um punhado de ações do Unibanco, que não pagavam os mesmos dividendos. De repente, me vi com um buraco enorme na minha renda. Pela primeira vez desde que começara a investir pesado, eu tinha a sensação ruim de que era preciso apertar o cinto. Cheguei a comentar com minha esposa que não tínhamos ficado pobres nem faltaria comida – mas teríamos que abrir mão de pequenos luxos que havíamos adquirido até a situação melhorar.

Eu possuía outros papéis que, com o tempo, recomporiam a pujança da carteira, mas fiquei furioso comigo mesmo por ter me exposto daquela maneira.

Refleti muito sobre meus insucessos com papéis de bancos. Após tantos anos colhendo dividendos tão significativos, não tenho certeza de que a melhor maneira de descrever o que houve é dizer que "perdi muito". Na verdade, não perdi dinheiro que tirei do bolso, mas deixei de continuar ganhando. Essas "interrupções nos ganhos" reforçaram a confiança que eu depositava no Banco do Brasil, uma instituição sólida e inquebrantável, e nos anos seguintes me empenhei em fortalecer minha posição.

14

O VISITADOR

"Uma tática para descobrir o que existe além da cotação"

Os equívocos que cometi nos investimentos em bancos, mesmo estressantes, jamais abalaram minha fé no projeto Ações Garantem o Futuro. Cada fracasso – ainda que não tenha havido muitos – me ensinava a avaliar melhor, a conhecer melhor e a escolher melhor os papéis que comprava.

Entendi que ir às empresas era uma tática excelente para descobrir o que existe além da cotação. Sempre que possível, eu visitava fábricas, complexos industriais, escritórios. Prestava atenção em tudo, com a curiosidade que sempre me moveu no mercado financeiro. Em muitas oportunidades eu abordava os funcionários e fazia perguntas que podiam parecer desconcertantes. Gostavam de trabalhar ali? Estavam satisfeitos em ser apenas funcionários? Nunca lhes tinha ocorrido que podiam ser um pouco donos comprando ações da companhia? O estado de espírito dos colaboradores era um termômetro do ambiente empresarial – se havia tensão no ar, era bom ficar esperto. Fazia também perguntas técnicas, tentando descobrir a área de determinada planta e o preço do metro quadrado. Assim conseguia calcular o valor do imóvel e, caso fosse o único, cotejá-lo com o preço das ações, aferindo, mesmo que de maneira grosseira, se o preço dos papéis estava à altura do patrimônio ou se a empresa estava super ou subavaliada. Tudo isso influenciava na minha decisão de comprar ou não.

Nessas visitas, eu era sempre recebido com cortesia. Muitos gestores que me mostraram suas empresas tinham orgulho de fazê-lo e estavam genuinamente felizes com o interesse que eu e outros visitantes demonstrávamos. E não é porque, com o tempo, me tornei um grande investidor. Cinquenta anos atrás, visitei a Anderson Clayton, a primeira empresa pela qual me interessei. Lembro que já havia um departamento de relações com o investidor. Liguei, expliquei que estava querendo comprar ações da companhia e pedi para conhecer a operação. Fui bem acolhido mesmo quando tinha apenas um punhado de papéis de empresas esparsas.

Também transformei em hábito algo que no começo fazia de maneira mais esporádica: participar das assembleias de acionistas, ouvir, perguntar e opinar. Nesses eventos, que tantos consideram burocráticos, eu conseguia aferir se empresas que faziam subscrições estavam de fato empenhadas em crescer e enriquecer – a si próprias e aos acionistas – ou se tinham objetivos menos nobres, como alavancar o negócio para depois vendê-lo. Eu ainda me lembrava dos Fundos 157 e da festa de IPOs inconsequentes, e algumas vezes, com algumas empresas, interpretei que isso estava acontecendo novamente em pleno século XXI. Nem sempre tinha como provar, mas a menor suspeita de que a subscrição tinha segundas intenções já me afastava de vez daquela companhia. Por outro lado, se eu sentia que o desejo de crescer era real, entrava de cabeça no negócio.

Nunca havia grande quórum nessas assembleias – é assim até hoje – e me acostumei a ser dos poucos investidores presentes. Ir a esses eventos sempre me lembrava uma reportagem da revista *Exame* sobre grandes investidores brasileiros, entre eles eu, ilustrada com a foto de um estádio nos Estados Unidos onde se aglomeravam cerca de 40 mil pessoas. Não era para assistir a um jogo: era a assembleia de uma grande empresa. Nos Estados Unidos não há caderneta de poupança e outros desses investimentos populares no Brasil; lá, quem quer ganhar dinheiro precisa correr algum risco e quase 90% dos investidores aplicam em ações como forma de preparar a própria aposentadoria, como mencionei anteriormente.

Pois foi num evento que parecia inocente que encontrei uma das grandes oportunidades da minha carreira de investidor.

Em fevereiro de 2008, quando completou dois séculos de existência, o Banco do Brasil organizou um grande evento comemorativo num complexo hoteleiro que à época era propriedade da Previ, não muito longe de Salvador, a Costa do Sauipe. Se eu ainda não era o maior, talvez estivesse entre os maiores acionistas pessoa física da instituição, e fui convidado para as celebrações. Na mesma temporada, o Sauipe abrigava um campeonato de tênis, o Brasil Open, o que tornava a viagem mais atraente ainda. Fui com minha família: Magaly, Louise, que era adolescente, e minha sogra. Tudo muito agradável e descontraído.

Quando o então presidente do banco, Antônio Francisco de Lima Neto, avisou que faria um pronunciamento, nem todos se animaram a ir – o clima, afinal, era de festejo, os dias eram de sol e calor e talvez ninguém tenha achado que dali sairia algo importante.

Eu fui assistir. Nunca se sabe. E o que ouvi lá foi ouro puro:

Lima Neto declarou que o projeto do BB era ter sob sua coordenação as contas bancárias de todos os funcionários públicos do país.

Naquela época, o BB já havia comprado alguns bancos pequenos. Tudo indicava – e o então presidente Lula não escondia esse desejo – que o banco pretendia crescer e sobrepujar o Itaú Unibanco, cuja fusão se dera pouco antes, como maior instituição financeira do país. Ora, se pretendia aglutinar as contas do funcionalismo, e se andava comprando outras instituições, havia um candidato perfeito na praça: um banco paulista chamado Nossa Caixa.

Durante décadas o estado de São Paulo centralizou os pagamentos do funcionalismo em um único banco: o Banespa. Quando o Banespa foi comprado pelo Santander, no ano 2000, essas contas automaticamente migraram para o banco espanhol – um volume gigantesco de dinheiro que estava na raiz do interesse do novo controlador. Mas essa transferência massiva e inabalável tinha data para terminar, e quando se encerrou o contrato os funcionários públicos do estado passaram a receber pela Nossa Caixa. Interpretei a fala do presidente do BB como uma declaração velada de que a Nossa Caixa estava no radar e que a compra se concretizaria mais dia, menos dia.

De volta a São Paulo, comecei a adquirir papéis da Nossa Caixa. Lembro que paguei algo entre 12 e 16 reais por ação. Mesmo investidores com vistas a uma carteira de renda mensal podem e devem ficar atentos a oportunidades, e eu tinha enxergado uma, com grande clareza.

Em novembro daquele ano, a Nossa Caixa foi comprada pelo Banco do Brasil por 5,3 bilhões de reais em valores da época. Pelo acordo, cada ação do banco estatal paulista valeria pouco mais de 70 reais.

Eu tinha comprado a 14, em média.

Nesse meio-tempo, estive numa reunião de conselho da Eternit com Lirio Parisotto. Toda vez que nos encontrávamos, Lirio perguntava o que eu andava comprando. Daquela vez não foi diferente. Quando falei da Nossa Caixa, um colega nosso ali presente, que também participava do conselho do banco estatal paulista, se espantou. "Esses papéis não valem nada!", ele disse. Argumentei que estava comprando porque pagava bom dividendo e também porque tinha uma base acionária pequena, com 99 milhões de ações, de modo que com 9 milhões um investidor teria 10% do negócio. E tudo isso era verdade. Passei meses comprando e recebendo dividendos até que finalmente a fusão que eu tinha previsto se concretizou.

Não mencionei minha suspeita a Lirio. Mesmo assim, ele comprou também – e acabou ganhando uma boa nota.

Logo após a fusão, o Banco do Brasil ofereceu duas condições de compra: pagava 74 reais à vista ou em 10 parcelas, com correção. Vendi tudo, parte das ações à vista, parte a prazo, e estas últimas chegaram a valer, corrigidas, 90 reais. A princípio, pensei em usar o dinheiro que ganhei para reforçar minha posição de Klabin, mas à época os papéis estavam muito caros. No entanto, essa mesma empresa oferecia uma ótima oportunidade: a compra de bônus de reflorestamento – capital que a Klabin pegava no mercado para financiar o plantio de árvores. Esses bônus proporcionavam um retorno extraordinário, mais do que qualquer outra aplicação na época. Nos anos seguintes, eu teria um bom uso para eles.

15

O HOMEM DE FAMÍLIA

"Irmão, o que tu és eu já fui, e o que eu sou tu serás"

Em 2001, Magaly e eu decidimos morar juntos em Mairiporã. Num primeiro momento, comprei um apartamento no centro da cidade para mim e outro para minha mãe, no mesmo prédio, no andar de baixo. Assim eu poderia monitorá-la, o que era importante, pois o Alzheimer avançava. Não deu muito certo: com o tempo e com o declínio da saúde, ela se tornou mais indócil. A essa altura, já bem idosa, minha mãe tentava fugir de casa todos os dias. Sonhava voltar para o Brás, o bairro onde tinha vivido por tantos anos. Pela manhã, antes de ir para o trabalho, eu dava um aviso expresso aos porteiros: que não a deixassem sair de jeito algum. Pois ela arrumava os poucos pertences numa trouxa e descia, despedindo-se dos funcionários do prédio no espanhol fluente com que falou comigo durante toda a vida, aprendido com os pais. Os porteiros, avisados, a convenciam a voltar, ela acedia – e no dia seguinte era a mesma coisa.

Decidimos então nos mudar para a casa no condomínio, levando minha mãe para morar conosco. Magaly concordou com o novo arranjo e decidimos que o melhor era ter uma cuidadora.

Consta que, quando eu não estava em casa, minha mãe era uma pessoa tranquila, que rememorava histórias de décadas passadas tendo como plateia pessoas que, com o tempo, deixou de reconhecer. Reconhecia a mim, porém, e quando eu chegava, queixava-se de maus-tratos, de solidão e de problemas que jamais ocorreram. A certa altura, me confundia com o marido, dizia que Magaly era nossa empregada e que Louise havia sido encontrada na rua. Tínhamos toda a paciência do mundo com ela.

Uma vez superado o baque da quebradeira dos bancos sobre as minhas finanças, graças ao bom desempenho dos demais papéis que eu tinha em carteira, Magaly, Louise e eu fizemos algumas viagens longas, mais do que em outras épocas. Sempre gostei de viajar, mas naquele momento, em especial, significou uma forma de aproveitar mais a vida, a tranquilidade financeira, a família tão próxima. Fomos muitas vezes de carro até Gramado e de lá a Buenos Aires, parando pelo caminho, conhecendo novas cidades. Já tínhamos festejado os 4 anos de Louise na Disney e certa vez passamos 40 dias na Europa que incluíram o mês de setembro, de tal modo que o aniversário de 7 anos dela coincidisse com nossa chegada a Paris – como ela pedia desde muito cedo. Algumas vezes meus sogros se juntavam a nós e viajávamos em família estendida. Mas só iam se pudessem bancar as próprias despesas. Se não tinham dinheiro, não aceitavam nosso convite.

Essas viagens nunca significaram férias do mercado: eu lia os jornais todos os dias e me mantinha em contato permanente com companheiros de trabalho, especialmente com João Malta, para quem ligava diariamente para definir condutas, compras e eventualmente vendas de ações do meu portfólio. Nunca tive problemas nessas ocasiões – embora, pela distância, vez ou outra tenha deixado de comprar papéis baratos, que a distância do pregão não me permitia avaliar em toda a extensão.

Fui feliz morando em Mairiporã. Gostava da casa, do clima, do ar puro. Tenho muitas histórias lá. Uma vez me esborrachei na rampa de acesso à casa, apostando corrida de patinete com o filho de um compadre da Magaly. Bati a cabeça no asfalto, mas, teimoso, me recusei a procurar médico. No dia seguinte, acordei com o nariz escorrendo, como se estivesse gripado. Não dei muita bola e fui trabalhar – até que a secreção aumentou a ponto de me levarem ao hospital. Tinha sofrido um traumatismo craniano. Fiquei 15 dias internado e aprendi que com certas coisas não se brinca.

Aquele período teve também uma nota triste. No dia 8 de abril de 2002, a três meses de completar 92 anos, minha mãe faleceu.

Perdê-la foi uma experiência aterradora, ainda que eu concorde com aquelas frases banais que nos dizem nos velórios e enterros, como "Ela descansou", ou "Ela teve uma vida longa". Descansou. Viveu bastante. Mas nada nos prepara para ficar sem mãe.

Desde pequeno, fomos eu e ela, ela e eu. No Quintalão e no primeiro apartamento, pago com a indenização de sua demissão da bombonière. Terminado meu primeiro casamento, voltei a morar com ela. Durante meu longo relacionamento com C., em que cada um vivia na própria casa, continuei dividindo o apartamento com minha mãe. Mesmo quando parou de trabalhar no ateliê de costura, sua última ocupação formal, ela se manteve ativa fazendo colchas maravilhosas de tricô e crochê. Eu me lembro dela concentrada sobre a trama, contando as carreiras, mexendo os lábios em silêncio.

Minha mãe tinha o coração fraco e, por precaução, tomava todos os dias um comprimido sublingual que eu mesmo lhe dava antes de sair para o trabalho. Exceto por isso, gozava de boa saúde e viveu sozinha até os 80 anos, sem empregada – algo que não aceitava –, fazendo sozinha todo o serviço de casa. Não ia ao médico, talvez com medo de acharem alguma doença. Seus exames eram ótimos, e os pulmões, limpos. No entanto, já tivera ao menos um AVC – eu me lembro da boca que ficou entortada por algum tempo até voltar ao normal. Um dia, a cuidadora – uma mulher alta e forte, a quem minha mãe respeitava por seu vigor físico – encontrou-a cambaleando no quarto. Segurou-a bem a tempo de evitar a queda. No hospital, soubemos que ela tivera um novo AVC. Dessa vez, de bom tamanho.

Foram 30 dias de internação num hospital de referência, o melhor que eu podia providenciar. Passei todas as noites desse período com ela, me acomodando mal e mal na poltrona do hospital e dormindo as horas possíveis, atento ao menor sinal. Ela abria os olhos, mas já não me conhecia.

Sempre vou visitá-la no Dia das Mães, em Finados, no Natal e em uma ou outra data importante para nós dois. Seus restos estão naquele mesmo cemitério da Quarta Parada, no túmulo que meu avô comprou, talvez com remorso, após a morte precoce do meu pai. Um dia, me deu na telha reformar o velho túmulo – ficou bonito, moderno, com placas de bronze indicando os parentes que descansavam ali: meu pai, um primo-irmão do meu avô, minha avó Josefa, que morreu centenária, minhas tias Helena e Olga, meu tipo Beppe.

Tempos depois, as placas de bronze foram roubadas. Para que o túmulo não ficasse sem identificação, mandei fazer uma placa única, de plástico resistente. Pedi que escrevessem nela "Família Barsi" e uma frase:

"Irmão, o que tu és eu já fui, e o que eu sou tu serás."

Essa placa continua lá.

16
O INVESTIDOR INOXIDÁVEL
"As crises me encontraram pronto para comprar"

Os anos 2000 começaram melancolicamente para o governo Fernando Henrique Cardoso, já distante da popularidade que havia alcançado em seu primeiro mandato. Reeleito em 1998 no primeiro turno, com aprovação de 40% da população, FHC viu seu governo balançar sob o impacto da desvalorização cambial de 1999, que corroeu parte do valor do real, e do apagão de energia elétrica em 2001 e 2002 pela falta de investimento no setor, agravada pela escassez de chuvas. Houve racionamento de energia em quatro das cinco regiões brasileiras, com repercussões graves na economia: o Tribunal de Contas da União, TCU, calculou que os prejuízos causados pelo apagão ao país ultrapassaram 45 bilhões de reais.

A eleição de Lula, em 2002, não contribuiu, no primeiro momento, para acalmar os mercados. Nos anos seguintes, porém, embalado pelo boom das commodities, o Brasil cresceu a taxas chinesas e fez jus ao acrônimo Brics, criado em 2001 pelo economista Jim O'Neill, do banco Goldman Sachs, para indicar as quatro economias que mais cresciam no mundo: Brasil,

Rússia, Índia e China. E a bolsa viveu tempos pulsantes – até o tombo ocasionado pela crise do subprime, nos Estados Unidos, que nos afetou fortemente, ao contrário do que tinha previsto o presidente Lula, para quem ela chegaria ao Brasil como uma "marolinha".

O fato de o país estar em crise – e a esta altura já perdi a conta de quantas já testemunhei – não significava que eu também estivesse. Na verdade, as crises nunca me afetaram. Hoje essa expressão virou lugar-comum, mas para mim sempre foram momentos de grandes oportunidades. Elas chegaram em momentos nos quais eu tinha bastante dinheiro para investir – e, naturalmente, era o que eu fazia: aproveitava as quedas do mercado para comprar barato papéis de boas empresas que pudessem me pagar dividendos. Esse raciocínio valeu também para as crises que vieram de fora, como a do subprime. Valeu quando Dilma foi eleita, em 2010, e reeleita, em 2014, com mercados despencando. Valeu quando um dos donos da JBS, Joesley Batista, gravou uma fala polêmica do então presidente Michel Temer e o mercado caiu 10%, o que ficou conhecido como o "Joesley Day".

Eventos na política sempre mexem com o mercado. Por isso, embora seja dispensado de votar, por causa da minha idade, voto sempre. Nas eleições presidenciais de 2018, votei contra Lula, que institucionalizou a corrupção no país. Sendo assim, só me restava escolher o atual presidente, que prometia ser um governante austero. Infelizmente, Jair Bolsonaro não fez jus a essa expectativa: além de perdulário, distribuindo dinheiro a rodo para garantir o apoio dos partidos do Centrão, o bloco fisiológico da Câmara dos Deputados, ele meteu os pés pelas mãos ao tentar defender os filhos envolvidos em situações suspeitas – para dizer o mínimo.

Nas eleições de 2022, minha preferência absoluta seria por uma terceira via e meu candidato, Sergio Moro. Mas entendo que ele não tenha avançado, e nesse caso quem perde é o país. Devo repetir meu voto de 2018.

O megainvestidor Warren Buffett disse certa vez que, sempre que possível, devemos manter nossa atenção nas empresas, deixando a política aos políticos. Em uma de suas cartas aos investidores da holding que criou, a Berkshire Hathaway, Buffett escreveu: "Continuaremos ignorando as previsões políticas e econômicas, que são uma distração cara para muitos investidores e empresários."[14] De certa forma, é o que tento fazer.

— . —

Nas crises que vivi, sobretudo nas mais recentes, eu estava pronto para comprar. Reforcei minha posição de Santander, de Klabin e de Suzano. Algumas vezes, "comprei de graça" – aquelas situações em que o preço dos papéis está tão baixo que a expressão faz sentido. Lembro que comprei papéis da Unipar praticamente de graça, a 25 centavos. Àquela altura eu não imaginava, mas meu segundo bilhão viria desse grupo, tão desacreditado à época em que comecei a investir nele.

Fundada em 1969, a Unipar foi pioneira na instalação de polos petroquímicos no Brasil. Quando me interessei pela empresa, ela possuía sete plantas petroquímicas, entre elas a União, em Mauá.

Em seu primeiro mandato (2002-2006), Lula decidiu estruturar o setor petroquímico no país por meio da criação de três

---

[14] Lawrence Cunningham e Warren Buffett, *As cartas de Warren Buffett*. Sextante, 2022.

polos, situados nas regiões Nordeste, Sudeste e Sul. A ideia era que esses polos fossem constituídos por meio de parcerias entre a Petrobras, que seria minoritária para não dar ao negócio um caráter estatal, e companhias privadas com conhecimento do setor. O primeiro bloco a deslanchar foi o do Nordeste, onde um colar de empresas pequenas aglutinou-se sob o guarda-chuva da Braskem, ligada ao grupo Odebrecht e parceira escolhida. No Sul, como a Petrobras não tinha ativos no setor petroquímico, optou por comprar o Grupo Ipiranga e assim capacitar-se para formatar uma parceria nos moldes da que fizera no Nordeste. Mais uma vez, a escolhida foi a Braskem. No Sudeste, dois *players* reuniam as condições de se tornarem parceiros da Petrobras: a Suzano Petroquímica, que era dona da Polibrasil, e a Unipar. Pois a Petrobras comprou a Suzano Petroquímica e firmou parceria com a Unipar no mesmo esquema 40%/60% do controle acionário.

Todo esse movimento capturou minha atenção. Ainda assim, descrentes de que os projetos avançariam, muitos colegas do mercado me chamaram de maluco quando comecei a comprar papéis da Unipar, em 2006, a 2,10 reais.

O Brasil estava numa boa fase, crescendo em média 4% ao ano. Em 2009, a revista inglesa *The Economist* faria a célebre capa com o Cristo Redentor "decolando" do Corcovado como se fosse um foguete e a legenda *"Brazil takes off"*, "O Brasil decola". Com demanda crescente no setor petroquímico, a Petrobras exigiu que sua parceira Unipar duplicasse suas plantas e ampliasse a produção. A Unipar foi ao BNDES (Banco Nacional de Desenvolvimento Econômico e Social) e tomou um empréstimo bilionário. Os sinais eram de ascensão.

Então veio a crise do subprime, quando várias empresas brasileiras tiveram problemas sérios – a Sadia, de alimentos, a Aracruz, de papel e celulose, e um braço da Votorantim que atuava no mesmo segmento de papel alavancaram-se fortemente com derivativos cambiais. A demanda por petroquímicos desacelerou.

Pressionada pelo pagamento de um financiamento espetacular e sem ter a quem vender sua produção, a Unipar viu-se em uma situação lamentável. Era como uma pessoa que estivesse no alto de uma escada pintando uma parede e de repente alguém puxava a escada. Os papéis caíram a patamares impressionantes, cerca de 25 centavos de real por ação. A Petrobras ofereceu-se para comprar a empresa pelo valor da dívida, superior a 8 milhões de reais – com os jornais noticiando pedidos de propina e outras irregularidades associadas à política, não ao desempenho empresarial. Ao final da negociação, restou à Unipar metade de uma única empresa, a Carbocloro, de produção de cloro e soda. Nem sombra do que o grupo fora no passado.

No entanto, cloro e soda são duas matérias-primas extremamente preciosas. Eu tinha conhecido as fábricas e sabia que eram produtivas. Pensei: esse valor de 25 centavos não faz nenhum sentido.

Por sorte, eu estava com um bom dinheiro no bolso para investir. Tinha ganhado uma quantia interessante graças à venda de ações da Nossa Caixa e usara o capital na compra de bônus de reflorestamento que tinham sido oferecidos pela Klabin. Esse dinheiro tivera uma excelente rentabilidade na época: creio que triplicou em dois ou três anos. O jacaré estava de boca aberta, aguardando a melhor oportunidade.

Abro parênteses para explicar essa história do jacaré, que, para mim, é o caçador de passarinhos mais inteligente da natureza. Esse réptil imenso, que passa horas preguiçosamente deitado ao sol, mantém a boca sempre aberta esperando que um pássaro venha se alimentar ali dentro, à sombra de seus dentes.

Quando o pássaro entra, o jacaré fecha a boca e o devora. Digo que o jacaré está de boca aberta quando estou à espera de oportunidades e de boca fechada quando é hora de comprar. De tanto repetir essa metáfora, acabei consolidando-a no mercado, meio de brincadeira, meio a sério. Na sala onde trabalho hoje, tenho vários jacarezinhos de madeira, plástico e metal – presentes de pessoas que um dia investiram comigo e são gratas.

Pois a oportunidade que eu esperava veio na forma de um acionista da Unipar, dono de 10% do capital votante, que andava profundamente desgostoso com o mau momento da empresa. Esse senhor queria vender sua participação e eu me ofereci para comprar. Acertamos a pouco mais de 40 centavos por ação, um preço baixíssimo – porém, como se tratava de 10% do capital da empresa, o montante total era impressionante. Concordamos em um parcelamento em seis vezes sem juros, só apalavrados. E assim, quando a Unipar parecia ter chegado ao fundo do poço, eu me tornei, de uma tacada só, dono de um décimo da empresa.

Enquanto as ações da Unipar custavam centavos, comentei com muitas pessoas que estava comprando. "Esse preço está mal conduzido, a empresa vale muito mais", eu dizia.

E continuei comprando ações da Unipar a preços diversos até 2017, quando tivemos um evento não muito feliz com a empresa: uma tentativa de fechamento de capital em um momento em que estava muito barata e prestes a pagar um grande dividendo.

A ideia, até onde sei, tinha partido de um dos administradores, que à época detinha 20% da Unipar por meio de sua gestora de investimentos. Esse administrador chegou a fazer ofertas aos acionistas, que foram rejeitadas. Na época, analistas de várias casas afirmaram que o preço correto por ação da Unipar era o dobro do que se negociava em bolsa.

Àquela altura, eu também já tinha quase 20% das ações da empresa e minha voz era relevante para que o fechamento se concretizasse ou não. Segundo a Lei das S.A., esse movimento só pode ocorrer quando aprovado por mais de dois terços da base acionária. Pois quase todos os dias o então administrador vinha à corretora onde eu operava, a Elite, para tentar me convencer a abrir mão da minha posição.

– A Unipar está numa situação difícil – ele me dizia. – Não vai pagar dividendos. O setor petroquímico não vai para a frente.

Eu me mantinha impassível.

– Ah, é isso que o senhor acha? – perguntava. – Pois eu acho que não. Agradeço a oferta, mas vou manter minha posição.

Eu era membro do conselho de administração e minha filha Louise fazia parte do conselho fiscal. Ora, sabíamos o que estava acontecendo no caixa da empresa e no setor petroquímico e quão inconsistentes eram os argumentos daquele senhor.

Em uma de nossas conversas mais duras, pouco antes de fazer uma OPA (oferta pública de aquisição) pelas ações da Unipar, ele me disse:

– Estamos oferecendo 6 reais pela ação. O senhor pagou centavos por elas!

– Sabe por que não vou vender? – Respondi na sequência: – Porque eu continuo comprando ações da Unipar, e no mercado hoje elas valem 10 reais. Por que eu venderia para você por 6 se estou comprando a 10?

Ele me deu as costas e foi embora.

Algum tempo depois, o dono da Unipar, Frank Geyer Abubakir, veio me procurar também. Eu tinha muito respeito por Frank e admiração pelo grande negócio que sua família tinha construído. Frank esteve à frente da Unipar por ocasião da crise de 2008. Tinha assumido quando ninguém mais queria pegar o abacaxi e navegado bem por mares turbulentos. Também conversamos sobre a possibilidade de fecharmos o capital da Unipar.

– Frank, eu tenho um compromisso muito forte com as pessoas que fazem da Unipar o que ela é hoje – falei. – Não quero me indispor com você, mas não vou vender, quero continuar.

Também ele me deu as costas e saiu em silêncio da sala onde estávamos. Tempos depois, aborrecido com esse desfecho, escrevi uma carta pessoal a ele. Não me recordo das palavras exatas, mas, em linhas gerais, evoquei o discurso que ouvi dele lá em 2008, quando fui procurá-lo para saber o que seria da companhia com as ações a 25 centavos. Naquela ocasião, disse a ele que não apenas eu era um investidor, como ainda tinha persuadido muitos clientes a investir na Unipar – algo bem diferente de ter herdado ações, que era o caso de Frank. Ele então me disse que trabalharia para transformar esse último bem de sua família em um ativo brilhante. Que iria se esforçar, lutar e vencer. Eu acreditei naquela promessa. Na carta, escrevi ainda que eu não era um vencedor naquela disputa, nem ele era um perdedor. Ambos queríamos o mesmo: o sucesso da Unipar. Tanto queríamos que, não muito tempo depois, fumamos o cachimbo da paz.

As ações da Unipar levaram quase uma década para se valorizar muito além do ponto que previ quando comecei a comprar. Poucos tiveram paciência e disciplina para esperar. Clientes meus que tinham montado posição me cobravam todo mês: "E aí, Barsi, quando a Unipar vai decolar?"

Bem, eu não possuo bola de cristal, portanto não tinha essa resposta, mas sabia que um dia a empresa se recomporia. Eu visitava a planta da Carbocloro, acompanhava o aumento lento mas consistente da produção e raciocinava: "Isso aqui não pode valer 25 centavos." Observava o trabalho meticuloso de Frank, aconselhava-o em relação a alguns maus negócios em que a Unipar poderia ter se envolvido. Fazia esses relatos aos clientes a quem tinha "vendido" a empresa, mas só ouvia de volta: "Mas isso aí não sai do lugar, Barsi." Lembro-me em especial de um cliente, executivo da Klabin, que tinha 1,5 milhão de ações da Unipar – e que não suportou a pressão, vendendo seus papéis ainda na casa dos centavos. Outro vendeu para adquirir uma participação numa rede de academias de ginástica, o que me pareceu inacreditável.

Quem esperou teve lucros quase estratosféricos. Alguns eram clientes meus que confiavam no que eu comprava para eles, sem questionar. Um deles, Rui Afonso, ex-diretor financeiro da Sabesp, chegou a me perguntar:

– Barsi, o que é Unipar?

Respondi:

– É soda e cloro.

Ele entendeu rápido.

– Deixa aí – falou.

Um dia recebeu uma pequena fortuna em dividendos, muito mais do que esperava.

Em 2020, quando o valor da ação chegou a 100 reais, aqueles que compraram a centavos, seguindo minha indicação, me consideraram um ídolo. Não é o caso: eu apenas enxerguei algo que estava evidente – que a Unipar tinha se especializado na produção de uma matéria-prima essencial para muitas indústrias. Quando olho para uma empresa, minha postura é de investidor. Como tal, sempre procuro o óbvio e desprezo a fantasia. O que a Unipar era – e ainda é – estava cristalino.

A Unipar hoje é quase uma holding cuja empresa-base, a Carbocloro, produz cloro e soda. Emprega cerca de 1.400 pessoas. Todo ano, mais de 4 milhões de toneladas de químicos saem de suas fábricas em Cubatão e em Santo André, no estado de São Paulo, e em Bahía Blanca, na Argentina. O cloro fabricado pela Unipar é empregado no tratamento da água que abastece milhões de residências. Mais do que isso: como "indústria das indústrias", seus insumos alimentam os setores têxtil, de papel e celulose, alimentício, da construção civil e muitos outros. O que eu via quando estudava a Unipar era uma empresa cuja produção só tendia a crescer, pois se tornava cada vez mais necessária.

Quanto a mim, os 20 milhões de reais que saquei no resgate dos bônus de reflorestamento da Klabin, e que lá atrás financiaram a compra dos 10% daquele investidor infeliz com o desempenho da Unipar, já se pagaram muitas vezes só nos dividendos que recebi.

E o negócio só melhora.

—·—

Em 2016, surgiu a oportunidade de comprar uma empresa que nós, da Unipar, não tínhamos capital para adquirir – a Solvay Indupa, pertencente à Solvay Argentina, forte produtora de soda e também de PVC, o que agregaria um diferencial à holding. Antes de nós, a Solvay quase tinha sido comprada pela Braskem. Só não foi porque o Cade (Conselho Administrativo de Defesa Econômica) vetou a negociação, argumentando que a Solvay era a principal concorrente da Braskem no mercado de PVC na América do Sul, em especial no Brasil, o que poderia caracterizar uma indesejável concentração de mercado. Quando essa possibilidade de aquisição quicou na nossa área, Frank me chamou para uma conversa.

"Barsi, tenho a impressão de que isso aí é uma GM", falou. GM, na gíria do mercado, é "galinha morta", coisa sem valor algum. Discordei argumentando que eram três fábricas, uma delas na Argentina, detentora de ativos de geração de energia. A planta de Santo André, no ABC paulista, tinha capacidade de produzir 290 mil toneladas de PVC e 150 mil toneladas de soda por ano. O valor era alto, algo perto de 200 milhões de dólares, mas enxerguei ali uma possibilidade de impulsionar o faturamento e levar a Unipar a crescer sem se afastar do segmento que a tinha transformado no que era. Tomamos um empréstimo e fechamos a compra.

Seis anos depois, no início de 2022, recebi um e-mail de Frank informando que naquele momento a dívida líquida da Unipar estava praticamente zerada.

O crescimento a reboque da compra da Solvay trouxe grande atratividade – e ótimos lucros – aos papéis da Unipar. Em 2001, quando eu ainda não era investidor, a empresa pagou seu primeiro dividendo, ainda bem modesto. Não mais deixou de pagar. No final de 2017, o então presidente Michel Temer reeditou uma medida provisória sobre o Marco Legal do Saneamento, prevendo a universalização dos serviços de água e esgoto no país até 2033 e abrindo as portas para investimentos privados. O cloro produzido pela Unipar ganhou uma demanda mais que bem-vinda. Por fim, durante a pandemia, a produção de plásticos da empresa cresceu substancialmente. Essas são algumas das coisas que podem acontecer com um negócio de representatividade importante para a economia, e a Unipar estava bem posicionada para isso.

Em 2021, diante de uma forte geração de caixa e uma baixa alavancagem, Frank, com o apoio do conselho (do qual sou vice-presidente), decidiu que a Unipar distribuiria dividendos polpudos, variando de 1,79 real a 5 reais por ação, quatro vezes ao ano. Naquele ano, colhi mais de 160 milhões de reais em dividendos apenas da Unipar.

Frank e eu nos aproximamos muito nos últimos anos. Creio que ele passou a confiar em mim, ao mesmo tempo que eu reconhecia o grande administrador que ele é. Nós nos falamos uma vez a cada três meses, por ocasião da divulgação dos balanços, em caráter oficial, mas trocamos ideias sempre que surge uma nova possibilidade ou dificuldade. Em dezembro de 2021, o Conselho Regional de Economia de São Paulo o condecorou com o título de Empreendedor da Década.

17
O GUERREIRO

"Na Eternit, encontrei um adversário formidável"

No começo dos anos 2000, comecei a comprar ações da Eternit, uma empresa que pagava dividendos tão bons que chegou a ser incluída na lista de "ações de viúva" – garantia de caráter defensivo, ou seja, de alguma estabilidade mesmo em épocas de turbulência na bolsa, e boa pagadora. Fundada em Osasco (SP) em 1940, com capital aberto desde 1948, fortíssima no segmento de telhas e soluções para a construção civil, a Eternit fazia brilhar os olhos de gente que, como eu, priorizava proventos. Até meados dos anos 2010, distribuiu anualmente em dividendos 10% do valor das ações, o triplo da média das outras empresas do mercado. Em 2013, segundo reportagem da revista *Exame*, 70% do lucro foi partilhado entre os acionistas. Mas as ações eram caras e meu esforço para fortalecer uma posição de Eternit avançava lentamente. Foi assim até que uma determinação do conglomerado francês Saint-Gobain, controlador da Brasilit – a qual, por sua vez, era sócia da Eternit por meio de uma empresa chamada Eterbras –, determinou que a Brasilit não mais utilizasse amianto em seus produtos.

O amianto, uma fibra natural largamente empregada nessa indústria por suas qualidades térmicas e sua resistência, foi banido em diversos países por ter sido associado a alguns tipos de câncer e doenças pulmonares. Pressionada a reduzir a utilização de amianto no Brasil, o que significava abrir mão de uma matéria-prima essencial nos produtos Eternit, a Brasilit passou a se desfazer de seus papéis da companhia. Os preços, naturalmente, caíram, criando uma boa oportunidade de compra. Considerei que o regime de dividendos e a solidez da empresa justificavam investir na Eternit e formei uma boa posição. O empresário e investidor Lirio Parisotto, outro personagem importante desta história, fez o mesmo.

No início dos anos 2010 eu já tinha uma posição significativa e o então presidente da Eternit, Élio Martins, me convidou a integrar o conselho da empresa. Aceitei, mesmo que minha voz tivesse menos representatividade que a de Lirio à época o maior acionista individual. Havia ainda um terceiro acionista, com participação menor do que a minha, mas de quem discordei frequentemente nos anos que se seguiram. Cheguei a ser presidente do conselho, e como tal consegui fechar cinco fábricas que davam prejuízo – fábricas de telhas de concreto, pouco competitivas, construídas numa tentativa já meio desesperada de substituir o amianto.

A uma delas, em Frederico Westphalen (RS), fui pessoalmente comunicar a decisão aos funcionários, que, naturalmente, se opunham ao fechamento. Reuni o grupo num galpão e fiz uma proposta.

– Aqui vocês representam o trabalho e eu represento o capital, mas quero oferecer a vocês uma oportunidade ótima. Queremos vender esta fábrica para vocês.

Agitação na plateia. Murmúrios de surpresa.

– Vocês não precisam nos pagar nada agora.

Um mar de olhos descrentes.

– Mas nos pagarão com parte do resultado que obtiverem daqui para a frente.

A proposta foi colocada em votação e o "não" venceu. Se os próprios funcionários não queriam assumir a empresa nem de graça, então ficou claro para todos que era o caso de vender – e torcer para aparecer comprador.

Os dividendos começaram a minguar quando a Brasilit montou uma fábrica para produzir uma fibra alternativa, de polipropileno, para substituir de vez o amianto. As pressões para banir esse material, que a Eternit ainda usava, cresciam exponencialmente. Em 2017, seu uso foi proibido no Brasil. Nesse mesmo ano, a empresa, em um movimento estratégico, pediu recuperação judicial, protegendo-se assim da cobrança de dívidas da ordem de centenas de milhões de reais – que teriam levado a Eternit à falência.

A mina de amianto da Eternit em Minaçu, pequeno município de 32 mil habitantes no norte de Goiás, interrompeu suas atividades em 2018 por determinação judicial. Numa batalha de liminares, retomou e suspendeu a mineração algumas vezes, oscilando no vácuo jurídico entre as legislações local e federal. Era (é) a última mina de amianto da América Latina ainda em atividade, e a maior fonte de renda para a cidade. Enquanto eu escrevia estas memórias, a mina estava operando exclusivamente para exportação. Países como a Índia ainda compram nosso amianto. Quando manuseado dentro das normas de segurança estabelecidas pelos órgãos de saúde, esse minério não oferece riscos à saúde, e suas propriedades químicas – como suportar altíssimas temperaturas – ainda fazem dele um material inigualável.

Os anos recentes foram de turbulência para a empresa, envolvida em ações judiciais contra a proibição do uso do amianto – amparadas em novas tecnologias que neutralizam o dano ao trabalhador que lida com a matéria-prima – e em trocas de gestão. Mesmo em meio a essa confusão, porém, não apenas mantive meus papéis como ainda indiquei minha filha Louise e meu genro Marcelo, marido de Luciane, para fazer parte do conselho – ele é industrial e tem muita familiaridade com chão de fábrica, além de atuar como certificador de equipamentos para a indústria pesada. Não sou o maior, mas ainda sou um acionista representativo, com poder para indicar dois conselheiros.

Ao longo dos anos 2010, as assembleias da Eternit foram a arena onde tive confrontos com um adversário extraordinário: Lirio Parisotto. O conselho esteve praticamente rachado entre nós dois. Na época eu tinha pouco mais de 13% do capital da Eternit. Lirio era o maior acionista e havia se associado a outro investidor que tinha quase 7% dos papéis. O conselho aprovou a série de medidas que, na minha interpretação, acabaram por conduzir a empresa para a recuperação judicial.

Gaúcho de Nova Bassano, cidade de colonização italiana, 1,90 metro e jeito expansivo, Lirio, como eu, é de origem humilde, nascido em uma casa sem luz elétrica na zona rural. Seus pais praticavam agricultura de subsistência para alimentar os 11 filhos. Lirio saiu de casa cedo, com 13 anos, para frequentar um seminário católico, que acabou abandonando. Estudou Medicina em Brasília, mas não exerceu. Sua primeira bolada veio de um prêmio cujo valor equivalia ao de um Fusca zero no início dos anos 1970. Investiu na bolsa – na época do boom – e perdeu tudo, façanha que repetiu no Plano Cruzado – investiu o que tinha, perdeu muito. Encontrou-se no comércio: instalou-se em

Caxias do Sul, assumiu uma loja de eletrônicos, a Audiolar, e ali vendeu tanto que foi convidado a visitar a fábrica da Sony no Japão. Lá, teve a ideia de fabricar fitas de videocassete, rebatizou sua empresa de Videolar e ficou rico. Já escaldado por duas bancarrotas na bolsa, estudou profundamente o assunto e voltou a investir com consistência no começo dos anos 1990, no governo Collor. Dessa vez, seu patrimônio se multiplicou.

Com o abandono das tecnologias às quais se dedicava a Videolar, Lirio fundiu-a em uma nova companhia, a Innova, indústria petroquímica que desenvolve e fabrica estirênicos, resinas termoplásticas e transformados plásticos – nomes técnicos que dão origem a produtos que conhecemos, como tampinhas de garrafas pet e embalagens de batatas fritas.

Nossas filosofias de investimento sempre tiveram muito em comum: também ele procura ações boas e baratas, que aparecem quase sempre nos momentos de crise; foge de setores sensíveis, como o aéreo e o varejista; e faz as próprias avaliações, não se deixando influenciar pelos rumos do mercado.

Tínhamos participações em comum em muitas empresas, como Marcopolo, de ônibus, e Randon, de soluções para o segmento de transportes. Nós nos conhecemos em alguma assembleia de apresentação de resultados nos anos 1990, quando ele se firmava como investidor, e nos reencontramos em jantares e almoços oferecidos pelas companhias. Nessas ocasiões, conversávamos sobre a bolsa e o desempenho dos papéis.

Entre as empresas que tínhamos em comum havia a Eternit.

Eu fazia duras críticas à forma como a empresa era gerida. Bombardeava as despesas administrativas elevadas e os supersalários dos executivos. Também achava temerárias as tentativas de diversificar os negócios no momento em que as preocupações com o amianto começavam a se avolumar. Lirio tinha opinião bem diferente:

> Barsi e eu tivemos muitas afinidades logo que nos conhecemos. Nós dois investíamos em empresas reais, de preferência aquelas cujos donos conhecíamos e que tratavam bem o pequeno investidor, com dignidade e respeito, encarando-o como alguém que acreditou no negócio dele a ponto de se tornar sócio. No ambiente das assembleias, eu procurava me entrosar com os veteranos, e o Barsi, sem dúvida, era dos mais sagazes. Eu admirava nele a forma "pão, pão, queijo, queijo" de aplicar: empresas com gestão honesta, potencial de crescimento e boas pagadoras de dividendos, que eram consequência do lucro.
>
> A Eternit era uma dessas empresas. Lembro de estar com ele nas reuniões do conselho, das quais ambos participávamos, e de lhe dar carona na saída: eu o deixava na boca do metrô na avenida Paulista, de onde ele pegava a condução para casa ou para a corretora onde dava expediente, na Líbero Badaró. Tudo muito amistoso.
>
> Com a crise do amianto, a Eternit chegou a uma encruzilhada. O presidente do conselho, Élio Martins, e eu achávamos que era hora de diversificar. Deveríamos identificar algum outro produto no setor da construção, ou outra empresa, para montar ou comprar, que assegurasse o futuro da Eternit naquele momento em que o amianto só apanhava. O Barsi sempre foi muito refratário a essa ideia. Para ele, estava muito bom do jeito que estava, e de fato, se o amianto tivesse vida eterna, tínhamos mina para escavar por mais 200 anos. O problema é que nossa extração estava sob ameaça.

Visitamos fábricas de louças, de esquadrias, de chuveiros. Descartamos muitas oportunidades. Eu não acreditava que a proibição do amianto fosse coisa para logo, afinal já havia boas práticas incorporadas ao seu manuseio e não se conheciam mais casos de doença provocada pelo minério. Mesmo assim, achava bom ter o pé em algum produto substituto.

Acabamos por investir em dois negócios grandes: uma fábrica de louças no Ceará, em parceria com o grupo colombiano Corona, e uma fábrica de fibra de polipropileno em Manaus, onde eu já tinha negócios – portanto, sabia muito bem dos prós e contras de produzir tão longe dos grandes centros do Sudeste.

Um negócio salvou a empresa e o outro quase a quebrou. Só fizemos perder dinheiro no negócio de louças, que acabamos vendendo. E a fábrica de Manaus é que está segurando a empresa hoje.

Em retrospecto, penso que nós dois tínhamos razão. Tanto ele quanto eu queríamos o melhor para a Eternit. Se o amianto tivesse perenidade, o Barsi estaria certíssimo, e eu, errado. Por outro lado, reconheço que errei na forma agressiva de conduzir o investimento na fábrica de louças, algo a que o Barsi se opôs, e estava certo. Eu tinha bons argumentos: faltava louça no Brasil na época, e já importávamos material da Corona, a empresa colombiana. Por que não produzir aqui? Só que a recessão a partir de 2013 nos afetou em cheio, e acabou sobrando produto no mercado.

Não apontamos o dedo um para o outro. Divergimos com respeito e não contestamos as decisões do conselho, uma vez tomadas.

A recuperação judicial (RJ) foi a melhor saída para preservar o caixa e assegurar a perenidade da empresa – que não era um negócio gigante, mas uma small cap, *uma empresa pequena, que não deve valer mais que 1 bilhão de reais hoje. Ela tinha um bom produto, mas dependia de uma matéria-prima que foi proibida de um dia para o outro. Sem a RJ, teria fechado.*

Com o tempo fomos adaptando as fábricas para usar só a fibra produzida em Manaus, melhorando a qualidade e a eficiência dos produtos. Hoje não faço mais parte do conselho, nem o Barsi, mas sabemos o que está acontecendo por lá. A Eternit está no melhor caminho para voltar ao clube das boas empresas.

LIRIO PARISOTTO, empreendedor e investidor

O tempo se encarregou de pacificar nossos conflitos e nos aproximar. Já há muito fumamos o cachimbo da paz, deixando que prevalecesse a admiração que temos um pelo outro. Em março de 2022, combinamos uma reunião no apartamento dele no bairro dos Jardins, em São Paulo. O objetivo era chegar a uma posição consolidada sobre a nova formação do conselho de administração da Eternit, do qual não faríamos parte, mas que teria representantes nossos. Não tivemos qualquer divergência em relação a isso – pelo contrário, concordamos em tudo.

E ainda houve um fato inédito. Eu tinha feito aniversário na véspera, sem muito alarde, mas Lirio soube, e sua filha e ele providenciaram um bolo. Soprei velas e cantamos parabéns. Uma boa surpresa: eu nunca imaginei que alguém faria uma festa para mim.

—·—

Muita gente ainda me pergunta por que mantenho minha participação na Eternit. A resposta até pode soar estranha, mas preservo essas ações por sentimento. Foram muitos anos recebendo dividendos gordos, e mesmo recentemente tive oportunidade de ganhar um bom dinheiro graças à Eternit. Aquele terceiro acionista, com quem tive tantos confrontos no passado, acabou vendendo barato suas ações, a 2 reais, em 2020, e eu as comprei. Logo depois, na esteira das novas medidas tomadas pelos gestores que assumiram em meio à recuperação judicial – medidas positivas, de equacionamento das dívidas junto aos credores ao abandono de negócios deficitários –, as ações da empresa subiram, chegando a 34 reais em meados de 2021. A esse valor, vislumbrei uma boa oportunidade para vender – e o fiz na hora certa, pois os preços caíram em seguida, ajustando-se à realidade do negócio, e, enquanto eu trabalhava nestas memórias, oscilavam perto de 13 reais.

Eu quis fazer tanto pela Eternit, mas não consegui. Hoje ainda tenho algo como 4% da empresa, e se ela voltar a pagar dividendos, receberei. Tenho fé em que isso acontecerá. Sei que há uma grande expectativa em relação às telhas fotovoltaicas, que produzem energia solar e em 2020 foram aprovadas pelo Inmetro. Os relatos de minha filha, que faz parte do conselho, são de que a empresa se prepara para sair da recuperação judicial em 2023, voltando a investir como qualquer companhia saudável.

18

O TURRÃO

*"Escrevi ao Slim: ele não podia fechar
o capital da Embratel"*

Sou observador atento e leitor de tudo o que diz respeito à gestão empresarial, e como tal estou longe de me definir como um colecionador de fracassos. A mim interessam profundamente a economia e seus ecos na saúde das empresas. Mas, claro, nem sempre e nem tudo o que fiz no mercado funcionou como eu esperava. Mesmo os investidores mais experimentados podem se equivocar.

Em abril de 2012, lembro-me de ter lido nos jornais que a empresa de telecomunicações Oi pagaria 2 bilhões de reais em dividendos a seus acionistas. O comunicado foi feito durante um evento para investidores e o pagamento se referia ao exercício do ano anterior. Além disso, a empresa anunciou sua nova política de dividendos, assegurando que distribuiria outros 8 bilhões de reais até 2015. "Bem, isso está no meu DNA", pensei na ocasião. Acreditei na promessa dos gestores de que trabalhariam para recuperar a confiança dos investidores. Acreditei também na autocrítica que fizeram sobre a "falta de foco" da Oi entre os anos de 2008 e 2009, quando a companhia precisou resolver o endividamento decorrente da compra da Brasil Telecom e da entrada no mercado paulista.

Logo ficou claro que eu me enganara. A empresa não tinha resultado para pagar tantos dividendos nem seus gestores pretendiam cumprir o prometido. Nunca cheguei a ter uma grande posição na Oi, mas o pouco que tinha vendi em 2014, com algum prejuízo (mas menor do que se tivesse mantido a posição). Em 2022, os clientes da telefonia móvel da operadora foram incorporados pela Vivo, pela Claro e pela TIM, após a venda da empresa. No final, os papéis valiam centavos, sem qualquer expectativa de resultado.

Na minha jornada como investidor, aprendi que o segmento de telecomunicações poderia ser um dos setores candidatos a fazer parte da minha carteira, mas infelizmente tive algumas experiências frustrantes – e a Oi nem foi o único caso. Houve também a Embratel.

Durante décadas, desde sua fundação, nos anos 1965, a Embratel manteve o monopólio das telecomunicações no Brasil, o que foi reafirmado pela Constituição de 1988. Mas, em que pesem suas conquistas relevantes – como conectar o Brasil ao mundo pela telefonia por meio do sistema DDI (discagem direta a distância) –, a Embratel, uma empresa estatal, ia mal das pernas e não havia conseguido democratizar o acesso à conectividade, tão desejada pelos brasileiros. Até os anos 1990, ter uma linha telefônica era um privilégio, um "bem" tão valioso que era preciso declará-la à Receita Federal. Havia empresas especializadas na comercialização e no aluguel de linhas, algo que parece impensável nestes dias em que qualquer pessoa pode ter quantos números de celular quiser.

No começo daquela década, o governo Collor (1990-1992) fez a primeira tentativa de desregulamentar o setor, autorizando a participação da iniciativa privada de telefonia celular, que não prosperou. A partir de 1995, com a posse de Fernando Henrique Cardoso, o caminho para a privatização da Embratel se alargou. A empresa foi desestatizada em 1998, passando às mãos da americana MCI, segunda maior operadora de longa distância dos Estados Unidos. Alguns anos depois, em 2004, a MCI vendeu o controle acionário da Embratel à Telmex (Teléfonos de Mexico), cujo maior acionista era o magnata mexicano Carlos Slim. A essa altura, a Embratel tinha o capital aberto e eu detinha pouco mais de 30 mil ações da empresa.

Slim tinha uma ideia fixa, ventilada a quem quisesse ouvir: queria fechar o capital da Embratel.

Cada vez que uma notícia sobre o possível fechamento saía nos jornais, eu escrevia à Agência Nacional de Telecomunicações, a Anatel, reiterando que o edital de privatização da empresa proibia essa medida. Não sei quantas cartas escrevi. Jamais obtive uma resposta sequer. Escrevi ao próprio Slim advertindo-o da impossibilidade de fechar o capital. Marquei uma conversa com o diretor de Relações com Investidores da Embratel e protestei. Ele me ouviu, impassível, e quando terminei, falou: "Sr. Barsi, nós vamos conseguir, não tenha dúvida disso."

Era menos uma questão de dinheiro – eu tinha poucos papéis – e mais de princípio. Mas Slim conseguiu: a Embratel fechou seu capital em 2012, durante o primeiro governo Dilma Rousseff.

Quando uma empresa de capital aberto decide fechá-lo, é obrigada a fazer uma oferta pública e os acionistas decidem se vendem ou não. Se a companhia conseguir a aprovação de mais de 95% do *free float*, isto é, dos proprietários das ações em circulação no mercado que não as pertencentes aos controladores, pode fechar o capital compulsoriamente. Foi o que aconteceu. Em novembro daquele ano, a Telmex fez um leilão de oferta pública de ações (OPA, no nosso jargão), disposta a comprar a totalidade das ações ordinárias da Embrapar (Embratel Participações). Optei por não vender, ainda acreditando que seria um bom negócio manter os papéis. Afinal, era um setor interessante e eu tinha pagado pouco por ações que rendiam bons dividendos.

Era mesmo um grande negócio, mas apenas para a Telmex. Hoje minhas ações não têm liquidez nenhuma, o que se agravou quando, graças aos agrupamentos, meus papéis se tornaram fracionários. Como me recusei a vender, contrariamente aos outros 95% de detentores de papéis, restei com essas ações de capital fechado. Ainda mantenho 171 ações da Telmex, já que o papel passou por sucessivos agrupamentos. Eu poderia ter movido um processo, porque juridicamente estou certo, mas achei que não valia a pena brigar com o mundo por um punhado de ações.

No entanto, nunca perdi a esperança de que algum dia teremos um governo correto ao qual eu possa denunciar a arbitrariedade do fechamento de capital da Embratel e, quem sabe, reaver o que investi.

Na sequência desse movimento, houve uma série de fusões e aquisições, e coube a mim um punhado de ações da Claro e da Net, empresas que não pagam dividendos e que, portanto, estão fora do "meu DNA".

— . —

Naquela primeira década dos anos 2000, tive um desapontamento enorme, de outra natureza. Para ser mais preciso, em 2008.

Sempre tive um grande desejo de que meus filhos seguissem meus passos e fiz o que pude para estimulá-los a construir desde sempre uma carteira que pagasse bons dividendos. Minhas filhas seguiram outros caminhos profissionais: Ieda Maria aposentou-se como funcionária pública do município, e Luciane, como professora concursada. Luciano, gêmeo de Luciane, formou-se em Contabilidade e trabalha na área de administração. Indicado por mim, faz parte do conselho de administração da Taurus, empresa fabricante de armas, e do conselho fiscal do Banco Mercantil do Brasil. Um de meus genros, Marcelo, aprecia os investimentos no mercado de ações e hoje tem assento no conselho de administração da Eternit, da Paranapanema e da Sabesp.

Considero que dei o melhor de mim para ajudar meu filho primogênito, que carrega meu nome. No começo dos anos 2000, para ajudar um amigo que precisava de dinheiro, comprei dele a casa lotérica que possuía e entreguei o negócio a esse filho, que havia acabado de perder o emprego. Entreguei, não: vendi. Sempre acreditei que, se dava algo para um filho, tinha que dar para todos, por uma questão de justiça. De forma que fiz um preço de galinha morta, que ele pagou como pôde, mas aceitei o pagamento. A lotérica ficava numa avenida com pouco fluxo de pessoas no centro de São Paulo e não era lucrativa, mas serviu para desvendarmos o negócio e buscarmos praças melhores para abrir novas lojas. A Zona Leste da capital se revelou uma boa área para esse ramo de atividade.

Também era uma região com muita criminalidade. Houve um mês de fevereiro em que as lotéricas que pertenciam a meu filho – eram três na época – foram assaltadas 42 vezes. Fiquei assustado. "Qualquer hora você vai levar um tiro", lembro-me de ter dito. "Por que não vem trabalhar comigo?" Ele aceitou, o que me deixou muito feliz.

Eu o levei para a Elite e lhe ensinei o que pude (pelo menos tentei): meus macetes, os pontos de atenção, os setores nos quais investir e aqueles dos quais fugir. Procurei orientá-lo para seguir a filosofia que eu tinha desenvolvido. Para além do fato de ser meu filho, tê-lo ao meu lado simbolizava a reaproximação que eu sempre almejei, mas para a qual faltaram oportunidades.

Só que ele tinha ideias próprias de como investir. E gostava de assumir certos riscos que, a meu ver, eram desnecessários. Queria ficar rico de repente, e no mercado ninguém fica rico de repente. Eu o socorri algumas vezes em operações de alavancagem: termos que fez apostando em companhias aéreas. Até o dia em que não o socorri mais, considerando que, se ele não arcasse com as consequências de seus erros, jamais aprenderia a operar no mercado. Desde que me recusei a cobrir uma operação, nosso relacionamento nunca mais foi o mesmo e perdemos totalmente o contato. Sem mágoas, mas cada um para o seu lado.

Quem melhor representa meu modo de operar no mercado hoje é minha filha Louise. Ela comprou a ideia daquele livreto que escrevi há meio século, *Ações garantem o futuro*, e criou um negócio digital para difundir minha filosofia de investimentos, que ela e seus sócios, Felipe Ruiz e Fabio Baroni, chamam de Jeito Barsi de Investir. Louise, como eu, estudou Economia e Contabilidade, participa de conselhos de empresa e tem um olhar atento e arguto. Gosta do mercado tanto quanto eu.

Tenho muito orgulho de dizer que Louise e seus sócios se

aproximaram graças às afinidades com meu método de investir. Os dois, Felipe e Fabio, têm trajetórias distintas, que desaguaram, coincidentemente, na curiosidade de me conhecer e saber mais sobre mim.

Meu avô paterno, filho de imigrantes espanhóis, foi o fundador de uma distribuidora de aço, que atuava como intermediária entre as siderúrgicas, como Usiminas, Companhia Siderúrgica Nacional, a CSN, e Cosipa, e o usuário final, grandes empresas como Ford, Caterpillar, Elevadores Villares. Durante muitos anos o negócio foi próspero, com porte médio a grande. Então vieram as privatizações do governo Collor. As siderúrgicas compraram as distribuidoras maiores, e a nossa, por não ter sido uma das eleitas, acabou se vendo obrigada a fechar as portas.

Mas no final da década de 1970 e ao longo da década seguinte, quando os negócios ainda iam bem, meu pai teve a brilhante ideia de investir as sobras de caixa da empresa em ações de boas companhias de capital aberto. Graças a isso, quando a empresa fechou, ele passou a viver integralmente dos dividendos dessas ações.

Na minha casa, desde muito cedo o mercado de ações era um assunto frequente e fui me familiarizando com ele de modo natural. Ainda menino, eu acompanhava meu pai à corretora e ao pregão de viva voz. Quando eu tinha 17 anos, meus avós maternos faleceram em um acidente e nos deixaram dois pequenos terrenos de herança. Meu pai os vendeu e comprou ações da Vale para mim e para o meu irmão. Foi meu primeiro investimento em Bolsa.

Não pensei muito nisso nos anos seguintes. Me formei

engenheiro de produção, passei um ano estagiando na Mercedes-Benz, na Alemanha, depois fiz um MBA no MIT nos Estados Unidos. De volta ao Brasil, fui contratado pela Booz Allen, uma consultoria de gestão estratégica, e comecei uma carreira de executivo.

No entanto, de uma forma ou de outra, as ações sempre estiveram no meu radar. E em algum momento no futuro, eu me via no mercado financeiro. Mas, antes, achava fundamental conhecer empresas por dentro: chão de fábrica, pessoas, cultura, estratégia, marketing e vendas, operações, logística. Após a consultoria fui trabalhar para o grupo RBI, holding do Fundo 3G Capital dona do Burger King, onde era diretor da rede de fast-food para a América do Sul. Por isso, viajava muito e tinha uma rotina bastante acelerada. Desde o início minha ideia era construir um pé-de-meia para um dia me tornar apenas um investidor.

Eu já investia religiosamente, todos os meses, comprando papéis com base na avaliação dos balanços de empresa, algo que eu sabia e gostava de fazer no meu tempo livre. Mas, confesso, atirava para todo lado. A certa altura, tinha um pouco de interesse em tudo e muito conhecimento sobre quase nada. Em resumo, construí um portfólio inadministrável.

Outra dúvida também me perseguia. Como minha estratégia se resumia a tentar comprar na baixa e vender na alta – algo difícil até para profissionais –, por muitas vezes me vi obrigado a vender as ações de alguma empresa de que gostava e preferiria manter em carteira pelo simples fato de terem valorizado. Com o recurso da venda em mãos, nem sempre encontrava outra empresa tão boa quanto para alocá-lo. E assim, progressivamente ia vendendo boas empresas para comprar outras não tão boas quanto.

Trabalhando como executivo e cheio de dilemas com meu portfólio pessoal, comecei a prestar atenção no Barsi, de quem por coincidência já tinha ouvido falar nas minhas idas à corretora e ao pregão com meu pai. Ele dava muita ênfase ao dividendo e falava bem de uma prática que me agradava: comprar ações de empresas sólidas e desfrutar os retornos pagos em forma de dividendos enquanto esperava que se valorizassem. Resolvi ir atrás dele.

Eu sabia que ele era um senhor e imaginei que não tivesse muita familiaridade com tecnologia. Escrevi uma carta me apresentando e deixando meu telefone. Ele nunca me respondeu. Então resolvi abrir uma conta na Elite, onde eu sabia que Barsi operava. E finalmente chegou o dia em que o conheci.

Nesse dia, tivemos uma daquelas conversas longas que são típicas dele. Ele não sabia quem eu era nem se tinha dinheiro para investir, mas está sempre pronto a passar a sua mensagem: ações garantem o futuro. Fiquei fascinado. Algum tempo depois ele olhou minha carteira, opinou e eu fiz quase tudo o que ele sugeriu. Nunca cobrou nada pela consultoria. Nossa relação nasceu aí e só se fortaleceu, assim como a minha admiração por ele.

No MBA e na minha vida corporativa tinha estudado modelos de análise, fluxos de caixa descontados, valuations *ultracomplexos. Mas o Barsi me falou do valor do bom senso e da simplicidade. Senti que para mim foi preciso aprender o complexo para compreender que muitas vezes o simples produz melhores resultados. Eu bebia o que ele falava, tomava notas num caderninho que ainda tenho e que até hoje me vale. Sempre soube que conviver com ele era uma oportunidade única na vida.*

O Barsi é como um piloto de avião que tem à frente dele todos aqueles instrumentos e luzinhas piscando na cabine de comando. Ele sabe qual o destino final, mas tem lucidez para desviar da tempestade, evitar uma turbulência, tomar pequenas decisões que o levarão aonde deseja, mas percorrendo um trajeto mais suave e se apoiando somente nas informações que são realmente essenciais. Barsi já atravessou períodos muito mais difíceis da economia brasileira, sobreviveu e sua estratégia prosperou. É uma estratégia blindada, à prova de crises, que nós seguimos como investidores individuais e ensinamos no AGF aos nossos clientes.

Com ele aprendi a ter foco e a filtrar informações. A não me deixar seduzir pelas armadilhas do ego. Sei que ele tem fama de ser mão-fechada, uma fama antiga de mercado, mas eu acho que só ele sabe o que passou vivendo em um cortiço depois da perda precoce do pai.

A convivência com o Barsi me trouxe a certeza de que o mercado financeiro era o lugar onde eu queria estar. Abandonei a vida de executivo e pouco tempo depois embarquei na grande oportunidade de fundar o AGF com meus sócios. Perpetuar o legado dele é quase uma função social, algo em que a gente acredita profundamente. O MBA que tive com o Barsi valeu muito mais do que aquele que fiz nos Estados Unidos. E é esse conhecimento que quero democratizar.

FELIPE RUIZ, investidor e sócio-fundador do AGF

Conheci o Barsi no início dos anos 2000, quando eu era adolescente. Meu irmão fazia aikidô com uma pessoa que aplicava seu dinheiro sob orientação do Barsi e em alguns anos tinha alcançado a independência financeira. Gostei do que ouvi.

Morávamos no Ipiranga, perto da comunidade de Heliópolis. Éramos uma família de classe média baixa. Meu pai trabalhava como torneiro mecânico numa indústria e voltava para casa todos os dias com as mãos sujas de graxa. Estudei em escolas públicas a vida inteira e jogava basquete de maneira semiprofissional, com um treinamento quase militar. Levávamos uma vida digna, mas eu tinha o grande desejo de dar algum conforto aos meus pais. Talvez o mercado de ações pudesse ser um caminho. E o Barsi era a única pista que eu tinha naquele momento sobre como se dar bem no mercado. Talvez ele me ajudasse a começar.

Pesquisando um pouco, descobri que ele trabalhava na corretora Elite. Resolvi ligar. E não é que ele me atendeu? Expliquei que eu tinha 16 anos, que não tinha dinheiro, mas já trabalhava em uma pequena agência que fazia sites e queria investir na bolsa. Contei um pouco da minha história e dos meus planos de melhorar de vida. Ele me ouviu e, para minha completa surpresa, marcou uma reunião comigo na semana seguinte, na Elite.

Eu tremia quando ele me recebeu. "Cara, é o Ronaldinho da bolsa", pensei. "Ele é rico e eu ganho 500 reais por mês. E olha a humildade dele!"

Nesse dia, ele me deu uma aula de três horas sobre como operava na bolsa. Eu não conseguia nem interromper, de tão encantado. Saí de lá pensando que precisava fazer o que *esse cara faz. Daquele dia em diante, todo mês eu pegava os 100 reais que sobravam do meu salário e aplicava seguindo as recomendações do Barsi. Ele estava comprando Unipar na época, e eu o acompanhei. Mesmo quando os dividendos eram baixos, acreditava quando ele dizia que era uma empresa fantástica e que um dia seríamos recompensados. Ele estava certo.*

Meus amigos não se conformavam. Aplicavam em renda fixa e ganhavam 16% ao ano e eu recebia 3% ou 4% com a Unipar. "Não é porque você conheceu um bilionário que vai ficar bilionário como ele", me diziam. Barsi me explicou que investimento em bolsa e renda fixa não são conceitos comparáveis. Se você gasta seus dividendos, seu patrimônio não diminui. Mas se gasta os 16% da renda fixa, destrói seu patrimônio, porque a renda fixa, no máximo, corrige o valor aplicado. Na maioria das vezes, nem isso.

Com o tempo, tive outros trabalhos, passei a ganhar melhor e a aumentar meus aportes. Houve momentos em que duvidei. A independência financeira baseada em dividendos não vem da noite para o dia; exige tempo, disciplina e paciência. Hoje, no AGF, falamos isso para os nossos clientes, com muita honestidade. Não é uma corrida de 100 metros, é uma maratona, e não termina. O próprio Barsi tem mais de 80 anos e ainda está investindo. É um projeto para a vida inteira.

Um dia, eu me lembro bem, o que recebi de dividendos superou o meu aporte daquele mês. Comecei a ficar mais confiante e houve um momento em que me desviei daquele caminho que o Barsi tinha traçado para mim. Especulei, comprando papéis de empresas que eu não conhecia o suficiente.

Perdi dinheiro e fiz um quadro com a nota de corretagem da empresa que foi o maior erro da minha vida. Esse quadro está até hoje na parede do meu escritório para me lembrar de nunca mais abandonar a estratégia.

Passei anos ligando para o Barsi e pedindo conselhos. Ele nunca me cobrou nada. Mas fazia um pedido: "Espalhe essa mensagem de que é possível alcançar a independência financeira comprando ações de maneira constante, consciente e disciplinada. Papéis de boas empresas, de preferência quando estiverem baratos. O cidadão comum não sabe disso e conta com a previdência pública. Isso não vai acabar bem."

Hoje tenho minha tão almejada independência financeira. Meu pai está aposentado pelo mercado de ações e vive muito bem. Minha irmã trabalha em escola pública e já ganha muito mais com dividendos do que com o salário. Eu continuo investindo na bolsa e faço palestras gratuitas sempre que posso educar alguém sobre as possibilidades do mercado de ações. É o meu jeito de retribuir.

Em um nível institucional, o AGF é a nossa resposta àquele apelo que Barsi me fez tantos anos atrás. Ele passou esse bastão para nós. Representar o nome dele hoje, ao lado da Louise e do Felipe, é uma responsabilidade gigante. Sabemos o peso da palavra dele. Barsi é o maior do Brasil.

FABIO BARONI, investidor e sócio-fundador do AGF

Em 2008, pouco tempo depois do afastamento do meu primeiro filho, precisei encarar a tal cirurgia cardíaca que tinha sido tão propagandeada por ocasião dos meus dois infartos. Mais uma vez, não acredito que a proximidade entre esses dois eventos tenha sido coincidência. A falência de um filho, principalmente no mercado, um ambiente que sempre foi de oportunidades para mim, é algo que nenhum pai gostaria de ver.

Dez anos haviam se passado desde o segundo infarto. Eu vinha me cuidando razoavelmente e fazia consultas periódicas com o cardiologista que me acompanhou por muitos anos, o Dr. Victor Haddad. Numa dessas consultas de rotina, ele viu algo estranho no meu eletrocardiograma e, sem dar detalhes, pediu que eu fizesse um novo cateterismo. Dado o meu histórico, nem discuti: no dia seguinte, Magaly e eu amanhecemos no Hospital Beneficência Portuguesa, bastante renomado em São Paulo, para o exame, em caráter de urgência.

Eu estava na área de recuperação após o exame quando uma médica amistosa veio falar comigo. Achei que ela tinha boas notícias e me animei.

– Sr. Barsi, o senhor é um homem de sorte! – ela me disse.

– Que bom! Posso ir embora? – quis saber.

– Não. O senhor vai ser operado. – Diante da minha surpresa, ela explicou: – Temos seis ou sete equipes de cirurgia cardíaca aqui no hospital, e o índice médio de sucesso é de 97%. Mas o senhor caiu justamente na única equipe que tem 100% de êxito: todos os pacientes operados por esse pessoal ficaram bem.

Fui operado no início de maio, pela tal equipe 100%, e deu tudo certo, mas foram dias difíceis. Há a dor e o trauma da cirurgia – coloquei cinco pontes de safena, que estão comigo até hoje. Contraí uma pneumonia que prolongou a hospitalização.

Fazia fisioterapia respiratória e me submetia a jatos de um canhão de ar para expandir os pulmões. A certa altura, pediram que Magaly fizesse tapotagem, uma técnica antiga para ajudar a desprender a secreção dos pulmões por meio de batidinhas nas costas, muito recomendada em crianças.

Quando eu ainda estava na UTI, o médico que havia me operado passou em visita e perguntou o que eu fazia, tentando relacionar minha ocupação à minha condição cardíaca. Contei que trabalhava na bolsa. "Então é isso", concluiu ele. "Quem trabalha na bolsa grita o tempo inteiro, é muita tensão, acaba adoecendo mesmo do coração."

Expliquei a ele que eu nunca fui do tipo que grita, que apenas falava um pouco mais alto quando precisava me fazer ouvir, mas ele não acreditou. Entretanto, pediu recomendações de investimento. Lembro que estávamos falando sobre a Unipar quando Magaly chegou para uma visita. Ao me ver explicando os mecanismos da bolsa, ela deve ter pensado algo como: "O Barsi é impossível", revirando os olhos. Foi um episódio engraçado.

Demorei a me recuperar, mas os 100% da equipe continuaram intactos.

Foi uma cirurgia grande e ficamos todos meio agoniados. Quando o médico veio nos dizer que tudo tinha corrido bem, sentimos um grande alívio. Ele nos disse: "Seu marido está na UTI e a senhora poderá visitá-lo amanhã, mas preciso avisar que ele estará entubado. Ainda que não estivesse, não falaria coisa com coisa por causa da anestesia, que foi muito forte."

No dia seguinte, quando cheguei para a visita, ele estava sentado, comendo e discutindo com o médico sobre ações.

Contando assim, parece mentira: menos de 24 horas depois de uma cirurgia de grande porte, Barsi estava disposto, corado e falando de seu assunto favorito. Dali em diante, sempre que eu o visitava, ele me pedia que fizesse a cotação dos papéis que queria, eu consultava o João [Malta], um amigo que trabalha com ele até hoje, e saía da UTI com as ordens para comprar ou vender. Só quando foi para o quarto é que ele pôde usar o celular. Passou 15 dias internado, mas operando em bolsa.

Eu trabalhei em corretora, entendo isso. É mais de meio século de mercado financeiro. Ele poderia parar de trabalhar, mas não sei como seria. Quando vai para a corretora, diz que está indo para o seu 'tricô', como se fosse um passatempo, uma diversão. Hoje, talvez seja.

Magaly, esposa

— . —

Após esse terceiro evento cardiológico, passei a dar ainda mais atenção à minha saúde e à qualidade de vida. Eu, que já andava cansado das viagens pela Fernão Dias, a rodovia sinuosa que liga Mairiporã à capital paulista, dei todo o apoio quando Louise entrou na faculdade e insistiu em que voltássemos para São Paulo. Compramos um apartamento confortável na Zona Leste, não muito longe do metrô, e alugamos a casa na Cantareira. Acabei me distanciando do tênis, que eu jogava no clube de campo, mas adotei nessa fase o hábito de usar o metrô para chegar ao trabalho.

Eu caminhava até a estação mais próxima e desembarcava no Anhangabaú, a uma pequena caminhada do prédio onde trabalhava. Era outra forma agradável de me exercitar. Certa vez, Lirio Parisotto – que me dava carona até a estação mais próxima após as reuniões da Eternit – brincou comigo: "Pô, Barsi, mas você anda mesmo de metrô?"

Expliquei a ele que o metrô era um transporte limpo e rápido, bem diferente de ter um carro que valia alguns milhares de dólares e que ele próprio precisava dirigir e mandar consertar quando tinha algum problema. E também era de graça, por causa da minha idade. Questão de postura. De prioridade. Além do mais, costumo dizer que não ando de metrô – eu *passeio* de metrô, evitando os horários de pico. Se ainda assim os trens estivessem cheios na minha estação, sem problemas: eu pegava o comboio no sentido contrário, ia até a estação inicial, escolhia meu assento – e ia sentado, apreciando o cenário, até meu ponto de chegada. No começo, gostava de prestar atenção no falatório alegre das pessoas nos trens. Hoje, observo que mal falam, grudadas em celulares.

Na pandemia, minha família me convenceu a usar um carro com motorista para ir ao trabalho e voltar para casa. Aceitei, compreendendo que correria menos risco de contrair covid-19, mas sinto falta do transporte coletivo. Quando Louise não está por perto, às vezes saio escondido para passear de ônibus. Eu me sinto bem.

19

O LOUCO DOS DIVIDENDOS

"Se ficar um tempo sem pagar, vendo"

Embora eu reze pela cartilha dos dividendos, sei, naturalmente, que as empresas estão sujeitas a imprevistos e crises e podem deixar de pagá-los. Por isso tenho uma carteira em que a lucratividade de alguns papéis sempre acaba compensando a calmaria, ou até mesmo o prejuízo, de outros. Por exemplo, sou um acionista respeitável da Companhia Suzano de Papel e Celulose e, ainda que ela não pague dividendos há cerca de dois anos, voltará a pagar quando der resultado e equacionar uma situação temporária de endividamento em moeda forte. Mesmo empresas maravilhosas, como a Klabin, podem eventualmente deixar de pagar. Isso aconteceu em 2020, na confusão da pandemia, mas quando retomou os pagamentos, a empresa entregou o dobro.

Quando compro uma empresa, compro também seu histórico. O Banco do Brasil paga dividendos há 200 anos. Por que deixaria de pagar no ano 201? Sabemos que o Banco do Brasil sustenta a Previ, Caixa de Previdência do Banco do Brasil, fundo de aposentadoria dos funcionários da instituição. Como a

Previ tem 13% do BB e é mantida pelos dividendos do banco, dinheiro empregado no pagamento aos aposentados, é certo que os acionistas receberão sua cota. Os proprietários do Santander querem seus dividendos a toda hora. A TRPL, Transmissão Paulista, tem obrigação de enviar dividendos para sua controladora colombiana. Quando paga dividendos, uma empresa nunca olha para o pequeno investidor – mas ele entra na "correnteza" e se beneficia. Na hora de adquirir papéis, é importante conhecer o interesse do controlador ou dos controladores de um negócio. Isso é simples e óbvio, mas ninguém vê.

Quando comecei a investir na Paranapanema, em 2018, a empresa ainda estava sob alguma ingerência do estado. Além da Previ e de fundos como o Petros, o próprio Banco do Brasil e a Caixa Econômica Federal tinham volumes significativos de papéis. Decidi investir nessa empresa por enxergar nela um projeto desafiador mas viável e com grande potencial.

Na época, multipliquei o valor de mercado dos papéis pelo tamanho da base acionária e cheguei a um total que corresponderia, talvez, a um décimo do valor *real* da empresa, com suas plantas, forjas e *know-how*. Montar uma Paranapanema do zero, hoje, seria um esforço hercúleo tanto pelo aspecto do capital quanto pelas licenças ambientais requeridas. E já tínhamos uma Paranapanema aqui, em pleno funcionamento, e custando barato. Comprei.

Fundada em 1961 por três empresários empenhados em investir na construção civil pesada num momento em que o país se industrializava fortemente, a empresa logo enviesou para a mineração, após descobrir estanho em escavações na região amazônica. Quando abriu seu capital, em 1971, em pleno boom da bolsa, migrou de vez para a extração de minérios, criando duas empresas, a Taboca, para extração de cassiterita, e a Mamoré, para trabalhar com estanho e suas ligas. Alguns anos depois foi adquirida pelo BNDES e na década de 1980 passou pela maior valorização de sua história. Foram anos de grande prosperidade, nos quais aparece até uma sociedade com Eike Batista, então começando na área de mineração, para a prospecção de ouro.

Em 1995, no governo Fernando Henrique, a companhia passou ao controle de um grupo de fundos de pensão liderados pela Previ. Nos anos 2010, a empresa entrou em uma espiral de endividamento. Na tentativa de se reerguer, concentrou suas atividades na fundição e no refino de cobre primário e de suas ligas manufaturadas, latão e bronze.

Em 2017, a empresa deu início a uma reestruturação. A presença dos fundos se diluiu e outros investidores de capital privado ganharam relevância, vislumbrando um horizonte de boas perspectivas para a empresa. O cobre é um metal não ferroso, portanto não enferruja, e tem incontáveis usos em chapas, fios e motores. São muitos os setores da indústria nacional que não podem prescindir dele.

Como acionista, fui visitar as duas principais unidades operacionais da Paranapanema: em Santo André, onde ficava a antiga Eluma, empresa de cobre adquirida logo após o controle por parte da Previ, e em Dias d'Ávila, na Bahia, a forjaria onde são fabricados os catodos – eletrodos com carga negativa que levam a corrente em um dispositivo elétrico polarizado. Gostei do que vi e ouvi e achei que valia investir mais na empresa. Estava claro para mim que a Paranapanema precisava de um aporte financeiro para pagar suas dívidas e sobreviver, e que os novos investidores poderiam capitalizar a empresa por meio da chamada de uma nova subscrição. Vale lembrar que a partir daí e até o quarto trimestre de 2019 os resultados apontavam na direção que minha análise tinha sugerido. Então, em março de 2020, veio a pandemia. As empresas abandonaram seus planos de investimento e entraram em modo de sobrevivência. Os negócios começaram a se deteriorar e a dívida, que havia sido reperfilada, começou a dar sinais de que precisaria novamente de atenção.

Um dia, resolvi questionar o Departamento de Relações com Investidores da empresa sobre esse assunto. Dessa conversa, interpretei que, se houvesse uma subscrição naquele momento, algo que cheguei a cogitar, o dinheiro iria direto para os bancos e a companhia seguiria sem fôlego para investir. De fato, a dívida era alta e provavelmente a melhor estratégia seria pressionar os bancos para renegociá-la, ganhando assim tempo e melhores condições para pagar.

No mundo dos bancos há pouquíssimo espaço para uma segunda chance. Houve uma queda de braço e tanto, que se prolongou por quase dois anos, até que os credores cansaram de esperar e chegaram a pedir a falência da Paranapanema em dezembro de 2020. A empresa argumentou então que, caso pedisse concordata, o pagamento se arrastaria sabe-se lá por quanto tempo. Portanto seria melhor negociar. Em meados de 2021, os bancos finalmente cederam e a empresa ganhou sete anos para quitar os débitos, acomodando os pagamentos ao caixa da Paranapanema. Os acionistas respiraram, mas a situação continua sensível.

No momento em que escrevo estas memórias, ainda não é possível saber se foi um bom investimento ou não. O tempo dirá. Como sempre.

Às vezes, a suspensão ou a redução dos dividendos se deve a decisões incertas, e nesses casos o retorno à normalidade pode ser mais complexo. Tive uma quantidade razoável de ações da Ultrapar, uma holding que, entre outros empreendimentos, é dona dos postos de combustível Ipiranga, da distribuidora de gás em domicílio Ultragaz e da empresa petroquímica Oxiteno, que produz óxido de eteno, o principal componente dos fluidos de freio dos automóveis. Era uma empresa excelente, que pagava ótimos dividendos, porém resolveu adquirir a rede de drogarias Extrafarma. Ora, como distribuição de remédios está bem longe do DNA do grupo, os dividendos, que variavam entre 80 centavos de real e 1 real por ação, caíram para 20 centavos, em média. Então vendi.

Situações como essas foram lapidando minha filosofia de investimentos. Não posso dizer que tenha sofrido com os efeitos da pandemia, já que não tive nem tenho dinheiro aplicado nos setores mais penalizados pela crise sanitária – aviação ou shopping centers, por exemplo, passam longe da minha carteira. Por outro lado, acompanhando os investidores americanos, estou sempre atento a produtos pelos quais o consumidor paga mas não necessariamente consome. Soa estranho, mas pense na distribuição de energia elétrica: o cliente pode passar um mês longe de casa, mas, quando voltar, a conta estará lá, ainda que menor. Seguros, se você não precisa usar – e todos torcemos para não precisar –, terá pago à toa. O plano de dados do celular: a maioria dos usuários não utiliza tudo pelo que paga. Esses são setores bons que procuro sempre ter na carteira. Não necessariamente todos os setores de uma vez, mas a maioria deles.

Quando uma empresa deixa de pagar ou reduz os dividendos por um tempo, não sou impaciente. Em geral, confio no critério que me levou a comprar aqueles papéis e espero que a situação se normalize. Em 2021, afetada pela crise hídrica, a AES Brasil não pagou dividendos. Com os reservatórios voltando a se encher, espero que pague em breve. Se nada mudar nesse intervalo, vendo.

E se tudo mudar de novo, volto a comprar. Foi assim com a Cosan.

Há uns 10 anos, decidi passar por cima da fama controversa do poderoso CEO da empresa, Rubens Ometto, fama esta reconhecida por ele mesmo em seu livro, *O inconformista,* que li com a maior atenção. Em dado momento, ele escreve:

> Em quase 40 anos como homem de negócios, fiquei conhecido por meu estilo agressivo ao adquirir usinas que estavam em dificuldades. Também fui chamado de megalômano ou lunático quando resolvi verticalizar os negócios e expandir nossa atuação para as áreas de logística e distribuição. Não me incomodo nem com a fama nem com os comentários.[15]

Bem, se ele não se incomodava, por que eu me incomodaria? Comprei ações da companhia.

A Cosan tinha aberto seu capital em 2005, como uma empresa de açúcar e álcool, mas seu presidente dizia em alto e bom som, a quem quisesse ouvir (e muitos duvidaram), que um dia as petroleiras ainda lhe ofereceriam sociedade. Em 2010, quando fechou uma associação com a anglo-holandesa British Petroleum (BP) e tornou-se dona de todos os postos de combustível Shell no país, Ometto foi glorificado. Comecei a comprar os papéis pouco depois disso, e me recordo de ter pagado algo entre 2,80 e 3 reais por ação. Quando chegaram a 90 reais, quase

---

15 Rubens Ometto Silveira Mello, *O inconformista*. Portfolio-Penguin, 2021.

uma década depois, vendi. A empresa pagava corretamente dividendos uma vez por ano, mas eu tinha uma posição pequena – ainda influenciada, de certa forma, pela postura de Ometto nos negócios – e decidi me desfazer dela no início de 2020 para acelerar a aquisição de papéis mais interessantes.

No final de abril de 2021, a Cosan anunciou um desdobramento: quem tinha uma ação ganhou três de presente, configurando uma base acionária quadruplicada sem alteração do capital social da companhia. De modo geral, quando uma empresa faz desdobramento de seus papéis, é porque considera que o preço está muito alto e deseja torná-lo mais acessível para pequenos investidores e para os grandes fundos, que podem alugar – um movimento comum no mercado – ou vender as ações. Vendi antes, sem ter antecipado esse movimento. Logo após o desdobramento, as ações, que valiam cerca de 90 reais, passaram a oscilar entre 19 e 21 reais, com muitos acionistas reclamando que o preço havia caído. Santa ignorância! Não houve queda: o preço apenas foi reajustado, pois um papel que valia 90 não poderia manter esse valor ao ser dividido por quatro.

No entanto, achei o movimento interessante. Peguei o balanço mais recente e li com atenção. O desempenho da empresa era, sem dúvida, extraordinário, e fazia já alguns anos. A Cosan consolidou-se como um dos maiores conglomerados do país. Tem meia dúzia de usinas de açúcar e de álcool e comprou uma posição portuária própria no Porto de Santos para embarcar sua produção. A Raízen é a subsidiária que opera a comercialização das safras. A Cosan é dona da Compass, empresa do segmento de energia, e da Comgás, distribuidora de gás natural. Em 2012, comprou a ALL, América Latina Logística, dona da maior malha ferroviária do país e cujo nome mudou para Rumo – a junção das primeiras sílabas dos nomes de Rubens e de sua esposa, Mônica. Hoje a Rumo é a maior operadora logística de base ferroviária independente do país. Será que não valia voltar a ser um pouco dono desse império poderosíssimo?

Achei que valia.

Voltei a comprar, a pouco mais de 20 reais, e vinha comprando, já na nova estrutura, quando tive um receio. Rubens Ometto havia sido o motor da companhia por todos aqueles anos, mas já não estava mais à frente dos negócios, tendo se afastado em 2021. Será que a Cosan continuaria firme naquela rota de sucesso? Eu precisava falar com ele. Após ler seu livro, me identifiquei muito com Ometto e sua trajetória inabalável – exceto pelo fato de eu ter vindo da pobreza e ele ter nascido em berço de ouro.

Descobri o número do escritório e liguei. Fui atendido por uma secretária educada que me disse que ele estava viajando. Eu me apresentei, disse que tinha apreciado o livro dele, que era presidente do Conselho dos Economistas, investia na Cosan e tinha algumas perguntas a fazer. Alguns dias depois, ela me deu retorno: Ometto me atenderia. Marcamos um horário e lá fui eu.

Puxei conversa falando de como havia gostado de sua autobiografia, mas logo abordei o tema que havia me levado até ali: eu queria continuar investindo na empresa, mas para isso precisava saber o que seria da Cosan sem ele no comando.

Pessoalmente, Rubens era um homem mais caloroso do que nos relatos que chegaram até mim. Ele me ouviu sem interromper e ao final disse:

– Eu não estou mais na ativa, mas a Cosan é e sempre será a menina dos meus olhos. As pessoas que estão lá me representam. De certa forma, é como se eu ainda estivesse lá. – Ele fez uma pausa e continuou: – Se você leu o meu livro, sabe que os nomes de todas as empresas da Cosan estão relacionados comigo. Desde o nome "Cosan", que vem da fusão dos nomes de duas usinas nossas, a Costa Pinto e a Santo Antônio, até a Rumo.

Nosso encontro terminou satisfatoriamente e mantive meus investimentos na Cosan – cheguei mesmo a ampliá-los, porque, ao contrário de outros investidores, leio até o final os artigos dos jornais. Eu me recordo em especial de uma reportagem de fevereiro de 2022 publicada em um jornal de economia que pontificava: "Cosan adota cautela e revê investimentos para 2022". A reportagem se referia a uma joint-venture com a empresa Porto Seguro para criar um serviço no setor de mobilidade que se chamaria Mobitech. Era esse o investimento que seria "revisto".

Quem leu só a chamada pensou que a Cosan talvez estivesse se encolhendo para fazer frente a alguma crise. Quem leu até o final entendeu que o aporte para o novo negócio seria significativo e que, no cenário daquele momento, a empresa preferia recomprar ações da própria holding e das controladas Raízen e Rumo.

Essa era uma boa notícia: significava que a empresa acreditava tanto em si mesma que estava recomprando os próprios papéis e valorizando seu negócio. E mais: achava que seus papéis estavam *baratos*, ou seja, previa um movimento de alta. Quando? Ninguém sabia. Mas estava confiante em que subiriam.

Informação ao mesmo tempo pública, porque está nos jornais, e privilegiada, porque só quem vai até o último ponto final tem acesso a ela.

Fiz cópias dessa reportagem e enviei a todos os clientes antigos, que acabaram virando amigos, pessoas que ainda hoje me consideram. Grifei o trecho essencial. Se leram, não sei. Eu li e comprei ações. Mais do que ler, eu talvez tenha desenvolvido certa capacidade de produzir uma leitura correta do futuro a partir do que leio. Toda oportunidade se apresenta, embora nem todos enxerguem. Essa leitura pode apontar para uma perspectiva positiva, mas nem sempre para já. O imediatismo traz perigo ao investidor.

Hoje tenho cerca de 3 milhões de papéis da Cosan. Também venho comprando ações da Vibra, uma distribuidora de energia que até 2019 foi ligada à Petrobras e que, de maneira análoga à Cosan, está comprando os próprios papéis por avaliar que estão baratos. Esse movimento é sempre interessante – vale observar com lupa quando acontece porque, em geral, é uma estratégia para valorizar o patrimônio. Somando os 3 milhões de ações da Cosan aos 3 milhões de ações da Vibra que já possuo, tenho 120 milhões de reais investidos nessas duas empresas. Minha expectativa é que nos próximos anos esses dois negócios se transformem no meu próximo bilhão.

20

O POLEMISTA

"Alguém tem que confiar em alguém"

No final de 2012, Dilma Rouseff fechava seu segundo ano de governo com aumentos expressivos no custo da energia elétrica. A presidente achou que conseguiria conter os aumentos com um decreto: em setembro, baixou uma medida provisória, de número 579, com novas regras para concessões no setor. A MP indicava que a "intenção" de praticar preços mais baixos seria decisiva para a renovação dos contratos e para o pagamento de uma indenização futura. Sob controle estatal, a Eletrobras naturalmente anunciou que seguiria as novas regras.

O que se viu no mercado foi um tombo memorável no preço dos papéis da companhia energética: de aproximadamente 26 reais à época, as ações chegaram a 3,50 reais. Os acionistas entraram em desespero e muitos analistas decretaram, sobre as ações da Eletrobras: "Do chão não passa." Houve quem dissesse que dali a 12 meses o valor cairia a 1 real.

Lembro-me da entrevista que dei a um jornal e de uma frase minha que fez manchetes. Perguntado sobre o que achava da MP, respondi: "Dilma merece um beijo na boca." E, diante da perplexidade do repórter, prossegui: "Ela me proporcionou comprar ações da Eletrobras quase de graça!" Ainda tenho na minha carteira papéis adquiridos naquela época, muito baratos para uma empresa do porte e da relevância da Eletrobras – comprados por algo entre 3,50 e 3,80 reais. Não me arrependo do que disse e até acho graça quando alguém mais antigo vem me perguntar: "Barsi, não tem ninguém para dar beijo na boca atualmente?" Esse incidente virou sinônimo de criar condições para que papéis bons se desvalorizem e investidores atentos possam adquiri-los em condições altamente favoráveis.

No início de 2013, graças à canetada com que a presidente pretendia baixar o valor da energia, as empresas brasileiras do setor perderam mais de 37 bilhões de reais em apenas quatro meses. Nenhuma teve uma queda tão brutal quanto a Eletrobras, que perdeu praticamente metade de seu valor de mercado – de cerca de 20 bilhões de reais caiu para pouco menos de 10 bilhões. Desde então, a companhia vem tentando se sanear aos trancos e barrancos. Sob o governo Michel Temer (2016-2018), desfez-se boa parte da ingerência do governo federal sobre a empresa e intensificaram-se os preparativos para que fosse privatizada. O valor dos papéis acompanhou a condução errática da Eletrobras, mas para mim sempre esteve claro que é uma empresa consistente, fornecedora de serviços dos quais é impossível abrir mão. Ainda hoje tenho pouco mais de 3 milhões de ações. A empresa de fato foi privatizada em junho de 2022.

À medida que o governo Dilma avançava, no segundo mandato, a vontade de beijá-la na boca evaporou. Entre os anos de 2015 e 2016, quando os protestos contra a presidente tomaram as ruas do país inteiro, o mercado financeiro passou por grandes turbulências e quedas violentas. Isso se repetiria nos primeiros meses de 2020, quando chegaram ao Brasil os primeiros rumores de um vírus ainda misterioso que estava adoecendo pessoas na China. No mundo globalizado, o novo coronavírus, causador da covid-19, espalhou-se rapidamente por todos os continentes, levando medo e morte. A Organização Mundial da Saúde decretou que estávamos em pandemia. Fronteiras foram fechadas. Os mercados reagiram muito mal. Durante alguns meses, meus investimentos pareciam ter derretido. Eu tinha a impressão de estar proporcionalmente pobre.

Os mercados caíram, mas as empresas não.

Na verdade, eu não acredito em mercado, essa entidade instável, de humor oscilante. Acredito nas empresas e em seu potencial. Mais uma vez, nessa grande crise que atravessamos, minha filosofia de investimentos provou ser eficaz. Não me deixo tomar pelo pânico. Aos poucos, o mercado foi se recuperando. Meus papéis também. Já vi o índice Bovespa baixar a 50 mil pontos e bater em 130 mil. Quem não tem estrutura para suportar esses baques pode adoecer. Eu não – ou ao menos não mais, tantos anos depois de meus infartos. Aprendi que é preciso ter um pouco de sangue de barata para operar na bolsa, ignorando o curto prazo, pensando a médio e longo prazo. Emoção e ansiedade levam o investidor a fazer bobagens, muitas bobagens. Acho que já disse isso aqui.

Cada crise tem sua origem, prazo de gestação e configuração. Pode ser política, econômica, crise de crédito, do setor imobiliário. Para todas há um antídoto. Se a crise é política, podemos esperar as próximas eleições e trocar o político. Se ela é econômica, os governos podem recorrer a diversos mecanismos para debelá-la. Se é financeira, idem. A crise pandêmica só tinha um antídoto: vacina. Diz-se que nunca antes a ciência trabalhou tão depressa, e com tanta competência. Um ano depois dos primeiros casos e mortes, tínhamos imunizantes de vários laboratórios, uns mais, outros menos eficientes, mas todos oferecendo alguma dose de proteção. Mas enquanto a vacina não veio, muitos negócios sofreram, principalmente os pequenos. Sufocados por impostos e sem renda, muitos fecharam as portas. Creio que a pandemia ensinou uma grande lição a todos nós: é preciso olhar para o futuro, porque, de repente, podemos nos ver sem uma fonte de receita que possa nos socorrer.

No mercado financeiro, as bolsas do mundo inteiro sofreram. O Brasil não foi exceção, mas novamente vi oportunidades. Quando o mercado entrou em pânico diante de uma onda de incertezas, eu mantive a calma e fui às compras.

Em 2021, investi no IRB, a maior resseguradora do país, que se lançou há alguns anos em um movimento de reconstrução de sua credibilidade e, por seu patrimônio e suas decisões, estava, a meu ver, cotada abaixo do valor real.

Quando uma empresa está bem, sua cotação é alta. Se algo de ruim acontece, o valor cai, mas tudo pode mudar com uma gestão atenta, como já afirmei em diversas ocasiões. E eu acreditava que era exatamente o que estava acontecendo ali. Criado em 1939 por Getúlio Vargas, o IRB, Instituto de Resseguros do Brasil, inaugurou o monopólio estatal em sua área de atuação. Transformado em empresa mista nos anos 1990, o IRB foi rebatizado como IRB Brasil Resseguros S.A. e abriu seu capital em 2017, com boa valorização logo de imediato: suas ações chegaram a custar 45 reais. Quando comecei a comprar, em 2021, os papéis estavam cotados a pouco mais de 5 reais. Ao longo de 2022, caíram ainda mais, chegando a pouco mais de 2 reais.

Essa queda brutal fora resultado de investigações de fraude

contábil conduzidas pela Polícia Federal e até pela CVM. Quando a empresa divulgou os resultados de 2021, com prejuízo, muita gente correu para vender. Eu li o balanço e entendi que o IRB tinha admitido vários esqueletos, expressão contábil para ativos que não servem mais, porém ficam guardados no armário. Uma empresa que tem a coragem de tirar seus esqueletos do armário e exibi-los à luz do dia em seu balanço admite perdas, mas produz um balanço *real*. De fato, o prejuízo foi enorme e o preço das ações refletiu isso. Existe uma grande dúvida no ar a respeito de quando o IRB dará a volta por cima. O que os investidores insistem em não compreender é que, quando *todo* o mercado *já souber*, os preços não serão mais os mesmos e a oportunidade terá passado. Isso se eu estiver certo, claro.

E por que comecei a comprar?

Em agosto de 2021, conheci alguém que no passado havia prestado serviços para a companhia e trabalhara para colocá-la de volta nos trilhos. Economista como eu, essa pessoa me procurou no conselho da Ordem para discutir os fundamentos do IRB. Falamos apenas do que poderia ser falado. A pessoa me disse que a empresa havia escolhido um ótimo conselho de administração, que por sua vez elegeria um presidente da melhor categoria. À frente do conselho estava um economista experiente na análise de seguros, Antonio Cássio dos Santos, que tinha sido CEO na fase mais turbulenta da volta por cima. "Esses papéis vão começar a ficar bons só depois de 2022", opinou o meu conhecido. Respondi que para mim isso nem era o mais importante, porque não compro para o curto prazo. Nós nos despedimos cordialmente e, como sempre faço, fui estudar.

Colhi muitas informações em fontes públicas, como o balanço da empresa e reportagens em veículos sérios de imprensa.

Em algum momento, no nosso negócio, alguém tem que confiar em alguém.

O que eu não esperava era a reação do "mercado". Uma gestora de investimentos, a Squadra, logo me confrontou. Seus profissionais haviam realizado um estudo questionando os resultados do IRB informados pela gestão na qual eu confiava e apontando inconsistências nos números. "Duvido que o Luiz Barsi conheça o IRB na profundidade que a gente conhece", disse em entrevista ao portal InfoMoney o sócio-fundador da Squadra, Guilherme Aché, quando soube que eu estava comprando os papéis da empresa. Em resposta, fiz um agradecimento público a Aché por ter contribuído para que um papel tão atraente ficasse ainda mais barato. No início de 2022 eu já tinha comprado 2% do IRB e, se o preço continuasse convidativo, seguiria comprando, apesar de alguns me chamarem de louco.

Numa assembleia, cheguei a indicar para o conselho de administração o executivo Fabio Schvartsman, ex-presidente da Vale que estava no posto na época do desastre de Brumadinho (MG), em 2019, quando o rompimento de uma barragem engoliu casas e prédios, deixando 270 mortos. Fabio é um gestor honesto, competente e experiente. Sob seu comando, as ações da Vale saltaram de 40 para 100 reais, fenômeno que já havia ocorrido em empresas que liderou antes – notadamente Klabin e Grupo Ultra. Na minha opinião, Fabio foi o único a pagar com o cargo e a reputação pela tragédia. Já pensou se ele faz com os papéis do IRB o mesmo que fez com as ações das demais empresas onde atuou?

Até que isso aconteça, tenho uma explicação para o que vejo acontecer no mercado com as ações do IRB: a empresa está sendo vítima do que chamamos de "aluguel de ações". Há uma boa analogia para entender esse mecanismo. Pense no proprietário de uma casa que não deseja vender o imóvel, mas, para assegurar algum rendimento sobre esse ativo imobilizado, opta por alugá-lo por tempo determinado. Da mesma forma, um proprietário de ações pode oferecê-las em empréstimo a tomadores que precisam delas de imediato para cumprir algum objetivo específico. Quem empresta recebe uma taxa de aluguel e mantém a posse do papel. Quem toma emprestado muitas vezes faz vendas a descoberto, ou seja, vende uma ação da qual não é proprietário, apenas "locatário". É comum que os tomadores apostem numa queda do papel: eles vendem antes de as ações caírem e as recompram a um preço mais baixo, auferindo lucros. Essa é uma operação totalmente regular, fiscalizada pela B3, que exige garantias do tomador e assegura a liquidação na data combinada entre as partes. Ainda assim, considero o aluguel de ações um estelionato, algo que joga contra a ideia de produzir uma cadeia de prosperidade entre empresas e investidores.

Não tenho mais ações alugadas e não recomendo essa operação. Mas sei que muita gente aluga e trabalha para derrubar os preços dos papéis que toma emprestados, de modo a poder recomprá-los com vantagem. O cidadão ganha uma miséria e, para isso, destrói patrimônio.

O aluguel de ações é permitido em vários países do mundo, inclusive nos Estados Unidos, mas em poucos essa prática é tão intensa quanto no Brasil – onde, como sabemos, os especuladores são a maioria e os investidores como eu perfazem uma pequena porcentagem das pessoas físicas que aplicam em bolsa.

Quando um tomador aluga e vende ações de uma empresa em grande quantidade, inundando o mercado, a tendência é que os preços caiam... até não poderem cair mais. Em meados de 2021, para uma base acionária de 1,2 bilhão de ações, o IRB tinha 135 milhões de papéis alugados, uma pressão extemporânea exercida por alguém que apostava violentamente na baixa do papel. Há um componente de manipulação nesse mecanismo, e, enquanto eu comprava IRB sem parar, via isso acontecer. Tirei proveito dos valores em queda para aumentar minha porcentagem, porque acredito na reestruturação da empresa. E mais: acho que, na hora de devolver os papéis ao proprietário, quem está alugando massivamente não conseguirá recomprar no mesmo preço para devolver ao proprietário. Antevejo prejuízos no horizonte para essas pessoas.

Claro que cometo erros, e muitos, mas isso não abala a minha crença em que a lente do meu binóculo é mais potente que a de outros investidores. Enquanto o pessoal da Squadra se concentrava no presente, eu estava mirando o futuro. Os papéis de outras empresas do setor estavam bem cotados: BB Seguridade a 25 reais, Sul América a 40, Porto Seguro a 50 antes de realizar um desdobramento, Caixa Seguros a 12. Ora, por que o IRB custaria 2? Porque alguém estava jogando com isso. Eu compro porque acredito no que estou comprando e não ligo para o que o mercado está achando. Quem não comprou IRB a 2 reais terá motivos para se arrepender no futuro. Como em um velho conto que adoro citar, "deixe que um dia o cavalo vai falar".

Nesse conto, um rei punha a mão no fogo por seu ministro mais sábio, seu melhor conselheiro. Ocorre que esse ministro tinha um inimigo que, certo dia, preparou-lhe uma armadilha. Sabendo que o rei amava cavalos, o inimigo do ministro levou ao rei, de presente, um cavalo lindo e imponente, afirmando que aquele cavalo falava.

O rei se surpreendeu. Um cavalo falante? Sim, confirmou o homem. Ainda não está falando, mas falará.

O rei chamou então seu ministro adorado e pediu a ele que fizesse com que o animal falasse. O inimigo esfregou as mãos em satisfação: o ministro não conseguiria fazê-lo simplesmente porque cavalos não falam, então cairia em desgraça. Mas o ministro era um homem esperto e disse ao rei:

– Majestade, farei com que o cavalo fale. Mas preciso de um tempo para realizar essa façanha. Preciso de 30 anos.

O rei concedeu-lhe esse tempo. Logo veio um cortesão e perguntou ao ministro, preocupado:

– Mas como você fará com que o cavalo fale?

E o ministro respondeu:

– Em 30 anos, ou morro eu, ou o rei, ou o cavalo.

Ou seja, mais uma vez, o tempo dirá quem tem razão.

Quando comecei a comprar Unipar, vivi uma situação semelhante à que enfrento hoje com os papéis do IRB. Também me chamavam de louco. Mesmo quem me ouviu e comprou no início da escalada dos papéis – ou, melhor, quando eles estavam no fundo do poço – não suportou a tensão de retê-los pelo tempo necessário para que se valorizassem. Fui recompensado pela minha persistência. O mesmo se deu com a Suzano: comecei a comprar por 3,80 e hoje o papel custa 60 reais.

De certa forma, é o que tenho feito com a Cielo nos últimos anos, sob uma saraivada de críticas.

No final de 2021, ainda estava comprando Cielo, e comprando pra valer.

Fundada em 1995, com sede em Barueri, na Grande São Paulo, a Cielo se define como uma empresa de tecnologia e serviços para o varejo. Obteve sucesso rapidamente com suas "maquininhas", que, até meados dos anos 2010, eram onipresentes no comércio do país. A partir de 2015, essa presença recuou um pouco, à medida que novas empresas de pagamento instantâneo ingressavam no mercado oferecendo tarifas mais competitivas. Mesmo assim, a Cielo seguiu firme. Investindo boa parte de sua captação em tecnologia, em 2016 foi eleita pela revista americana *Forbes* a 52ª empresa mais inovadora do mundo, a única brasileira da lista. Basta lembrar que, em 2014, numa joint-venture com o Banco do Brasil, a Cielo criou sua própria empresa de tecnologia, a Cateno. Seus gestores sabiam que sem isso não sobreviveriam.

Em seus melhores anos, quando a Cielo tinha uma lucratividade de até 4 bilhões anuais, seus papéis em bolsa chegavam a custar 24 reais. A empresa pagava bons dividendos. Em 2019, acossada pelas competidoras, chegou a ter um resultado negativo, que se repetiu no ano seguinte. Em 2020, com a pandemia, todo o varejo refluiu e as maquininhas da Cielo já não eram tão utilizadas. Mais uma vez, uma miríade de empresas pequenas invadiu o mercado, gerando uma concorrência que comia pelas beiradas o lucro da Cielo.

O mercado estava atento à movimentação. As ações da companhia – aquelas mesmas que custavam 24 reais quando a empresa lucrava 4 bilhões ao ano – despencaram para 2 reais e alguns centavos. *Dois reais*. Ora, em 2021 a empresa projetava lucros de 660 milhões de reais, com ações a 2 reais, pagando dividendos não mais duas vezes ao ano, mas três vezes. Ficou claro para mim que essa ação estava barata. Era hora de comprar mais (eu tinha começado esse movimento em meados de 2018), pondo em prática "uma estratégia que resultasse em alta e lucro", como preconizava meu mentor, Herbert Cohn. É sempre bom lembrar que, no mercado acionário, os dividendos são pagos com base no número de ações possuídas, não no valor individual delas. Na época em que a Cielo custava 2 reais, uma ação do Banco do Brasil, por exemplo, podia ser adquirida por cerca de 30 reais. Ou seja, com o valor de uma do BB eu poderia comprar quase 15 da Cielo. Se ambas pagavam dividendos de 10 centavos, o Banco do Brasil quatro vezes ao ano, Cielo três vezes... bem, eu estava diante de uma oportunidade evidente. Isso é estratégia. Era disso que Herbert falava.

No caso da Cielo, era uma leitura oposta à do mercado. Muita gente acreditava que a empresa não tinha evoluído diante da concorrência e estava destinada a minguar. Para mim, a leitura que se fazia desse papel na bolsa à época não refletia a realidade daquele negócio. A realidade que eu via era esta: a Cielo tinha um acervo tecnológico ainda mais dinâmico do que em seus melhores anos e, em 2021, havia recuperado boa parte de sua participação no mercado ao produzir maquininhas com novas funcionalidades para além de receber e gerenciar pagamentos. Confiei na minha análise e fixei uma meta: ter no mínimo 20 milhões de ações da companhia. Enquanto escrevo, já estou com 13 milhões comprados. A meu ver, a empresa vem desenvolvendo uma atividade tecnológica cada vez mais avançada e tem potencial para alcançar de novo lucros na casa do bilhão. Nesse caso, terei feito um grande negócio. Se não chegar a tanto, ainda receberei os dividendos. Meu plano é guardar esses papéis até eles deslancharem, porque acredito que isso um dia acontecerá. O futuro dirá quem tem razão: as tais "vozes do mercado" ou eu.

Já disse, mas reitero por achar essencial: eu compro projetos. No caso do IRB, é um projeto de recuperação em que acredito. No da Cielo, confio na capacidade inovadora da empresa e em seu potencial para deixar a concorrência para trás.

Há um detalhe curioso na minha relação com o IRB: eu mesmo nunca tive seguros. Não acho que as seguradoras paguem valores justos quando ocorre um sinistro. Desde meu primeiro carro, nos anos 1960, até o que tenho hoje, um Tiggo novo (carro chinês, meus amigos torceram o nariz, mas não liguei – é um excelente automóvel e me leva a toda parte), nunca achei necessário. Em retrospecto, fiz bem. A primeira vez que precisei pagar o conserto de um carro foi após o acidente em Santa Catarina, em janeiro de 2022, narrado no início deste livro. Que o reparo custe 20 mil reais – ainda estarei no lucro. Seguro de vida então, nem pensar. Nunca tive. Ao longo da minha trajetória, fui criando as condições para que as pessoas que amo estejam amparadas depois que eu me for, mas por outros meios. Só tenho mesmo seguro-saúde.

Nessas décadas todas sem seguro, devo ter economizado algumas centenas de milhares de reais, que se converteram em ações de boas empresas que pagaram dividendos e contribuíram para o aumento da minha riqueza. Obviamente, percebo o paradoxo entre investir em uma resseguradora – ainda que ela não negocie seguros de varejo – e não ter seguro pessoal, mas me sinto confortável com isso. Da mesma forma, entendo pessoas que se sentem confortáveis sabendo que seus bens estão segurados e, se algo acontecer a eles, serão ressarcidas. É da natureza de cada um.

Todo dia alguém diz por aí que crise é sinônimo de oportunidade. No entanto, a maioria das pessoas tem muita dificuldade em enxergar a tal oportunidade. Talvez pelas minhas oito décadas de vida e por tudo pelo que passei, eu quase sempre consigo ver, e com muita clareza. Acolho as crises. Não torço por elas, mas nem preciso: elas vêm de maneira natural, e quando chegam, eu navego com segurança, certo de que todas são superáveis.

21

O FILÓSOFO

*"Só há dois tipos de aplicadores: os que
amam e os que odeiam o dinheiro"*

Em um país tão imenso e desigual, entendo que eu seja alvo de curiosidade, admiração, talvez até de sentimentos menos nobres e mais secretos. Não é incomum que, em eventos e palestras, as pessoas me abordem com a pergunta:

"Barsi, mas você não gasta?"

Tenho uma resposta pronta para essas situações. Digo que gasto, sim, e que gasto tanto que meu nome não deveria ser Luiz: deveria ser Gastão. No entanto, gasto com racionalidade. Tenho tudo o que quero, às vezes até o que não quero. Vivo maravilhosamente bem e não consigo gastar o que ganho, mas não sou de jogar dinheiro fora. Conheço gente que trata dinheiro como se fosse uma batata quente: não vê a hora de se livrar do que recebeu. Dinheiro custa a ganhar. Eu gasto o meu, sobretudo reinvestindo.

Muitas vezes tenho dinheiro em conta para investir, mas não vislumbro no mercado, naquele momento, oportunidades que valham a pena. Ora, nessas ocasiões, espero. Não invisto de maneira dramática, possessiva, neurótica: hoje compro com muito mais equilíbrio e inteligência do que antes, porque, por incrível que pareça, continuo aprendendo – mesmo aos 83 anos. Há momentos em que recebo um pequeno dividendo, mas não vejo nada interessante no mercado que possa compor a minha carteira, então uso a renda fixa. No dia seguinte, novos proventos pingam na minha conta, e ainda não há nada relevante à vista; novamente, uso a renda fixa. O verbo "usar" aqui substitui "aplicar": na minha filosofia de investimentos, renda fixa é a modalidade de resgate automático que uso porque posso precisar do que tenho ali a qualquer momento – nunca sabemos quando o mercado vai nos presentear com uma boa oportunidade e preciso do dinheiro disponível quando isso acontecer. E recorrer à renda fixa é melhor do que guardar dinheiro debaixo do colchão.

Usar a renda fixa é a minha maneira de imitar o jacaré. De me manter de boca aberta, pronto para abocanhar.

Em linhas gerais, continuo fazendo hoje o que fazia em 1971, quando comecei a comprar papéis de maneira estruturada, com a meta de criar uma carteira previdenciária. Quando me interesso por uma empresa, faço o mesmo que fiz há cinco décadas, quando cogitei comprar papéis da Anderson Clayton: pego o telefone e ligo para o diretor de Relações Institucionais, para o presidente do conselho, para o próprio CEO. Em março de 2022, comecei a comprar ações da Auren, plataforma de comercialização de energia que resultou da união dos ativos da CESP com a Votorantim e o fundo CPP (Canada Pension Plan). Receoso de que venha a ocorrer com essa companhia o mesmo processo de locação de papéis que, na minha interpretação, tanto mal vem causando ao IRB e à Cielo, escrevi ao diretor de RI da nova empresa. Apresentei-me como acionista cativo, dono de ações da CESP compradas nos anos 1970, e alertei-o dos riscos do aluguel de ações, indagando até que ponto ele toleraria que os papéis da nova empresa fossem pressionados. Sou um pequeno dono de um grande negócio. Nunca descuido dele.

Até hoje, o medo de voltar a ser pobre sempre foi meu grande motor para continuar investindo. Quando me dizem que sou rico, pergunto a meus interlocutores sobre o conceito que têm de riqueza. O meu já revelei neste livro: rico é aquele que se contenta com o que tem. Então, de certa forma, continuo pobre, ainda que meu extrato de investimentos me assegure o contrário. E, embora eu sempre brigue para ter mais, não olho para o dinheiro com ganância. Nunca imaginei que um dia teria a carteira que possuo. Penso no que me aconteceu como o desenrolar natural de algo que sempre foi o meu trabalho e da construção de uma estratégia de sucesso.

Demorei anos para juntar meu primeiro milhão, mas depois que consegui, tudo se acelerou. Quando eu comecei, ganhava 50, 100 reais de dividendos (mais uma vez, uso a moeda de hoje para facilitar a compreensão, sem qualquer relação de equivalência) por semestre. À medida que ia reaplicando em outros papéis, os dividendos cresciam para 200, 300, 1.000, 1 milhão. E a mesma estratégia que me permitiu juntar o primeiro milhão trouxe o primeiro bilhão.

Este livro nasceu do meu desejo de deixar um legado, como já mencionei. Se eu consegui enriquecer no mercado de ações, e se estou cercado de pessoas que, em graus diferentes, também ficaram ricas comprando ações, não há de ser tão improvável assim. É preciso considerar os três elementos decisivos, claro: prioridade, disciplina e paciência. Ao longo desta narrativa, creio que outros aspectos foram se evidenciando naturalmente. Meu olhar para o mercado é técnico e analítico, com uma visão de médio e longo prazo. Não compro hoje para vender daqui a 15 dias, embora possa vender daqui a... um ano. Em setembro de 2020 comprei ações do conglomerado petroquímico Braskem por algo entre 18 e 20 reais. Quase um ano depois, vendi um pouco, não tudo, por 60. Os números são eloquentes. Refletindo sobre isso, mal consigo acreditar que ainda haja gente que se contenta com uma taxa de 3% ou 4% ao ano em algum fundo misterioso de renda fixa administrado sabe-se lá como e por quem.

Na minha carteira, hoje, não faltam exemplos dessa minha postura de comprar e reter. Comecei a comprar Unipar quando cada ação custava alguns centavos. Mas eu sabia do potencial de melhora e de perenidade da empresa. Mesmo quando me diziam que eu era insensato por encher os bolsos de ações de uma organização então desacreditada, continuei comprando. Mas as empresas em que invisto estão sob minha análise criteriosa o tempo inteiro.

Há muitos anos venho falando das vantagens do mercado de ações sobre todas as demais formas de investimento. Nada consegue superar o ganho com ações – desde que se invista nelas, claro. Poucas vezes fui ouvido, e ainda hoje me declaro incompetente por não ter convertido mais pessoas a essa forma de investir nas empresas do Brasil, no progresso do país e na nossa riqueza individual.

Não me canso de falar que o cidadão deve adquirir ações para comprar e guardar. Não deve pensar em si mesmo como um acionista minoritário, mas como um pequeno dono. Um dono não vende a empresa porque os papéis caíram ou porque subiram demais. Ele pensa na perenidade do negócio. Poucos terão capital para montar de imediato uma carteira de renda mensal, então o caminho é começar comprando pouco, como eu fiz, até alcançar sua meta.

Nem por isso desisto. Há quem ache graça no fato de eu atender os telefonemas de algumas pessoas que me procuram – e toda semana vem alguém com uma ideia de negócio sugerindo que nos tornemos sócios. Eu ouço e tento aconselhar. Falo da minha dificuldade em ser dono de um negócio pequeno. Explico que prefiro ser dono de parte de um negócio grande e fulgurante, ou no mínimo promissor. Não quero possuir uma rede de postos de gasolina, mas posso ajudar a montar uma carteira de renda mensal.

Lembro-me de um senhor de São Caetano, município da Grande São Paulo, que me ligou há alguns anos pedindo orientação. Eu me dispus a recebê-lo e ele veio até a corretora onde eu ainda trabalhava todos os dias, com os gráficos de desempenho das ações na tela grande de um computador faiscando sobre o fundo escuro – tudo muito distante dos tempos da pedra e do giz na velha bolsa, mas fui me acostumando.

Pois esse senhor me disse que desejava uma renda mensal de 20 mil reais para sua aposentadoria.

– Quanto dinheiro preciso investir em ações para receber isso? – ele quis saber.

– Ah, uns 3 milhões – sugeri.

– Mas eu não tenho esse dinheiro!

– Então você vai começar e investir até o dia em que receberá os 20 mil.

E indiquei uma corretora séria que poderia ajudá-lo a selecionar os melhores papéis de acordo com seus objetivos. É simples, muito mais simples do que querem levar a crer as grandes casas de análise, que ganham dinheiro em transações frequentes e não raro especulativas. Costumo chamá-las de "casas de apostas", e não de análises.

Outra vez, um repórter de uma emissora de televisão quis saber por onde começar para se tornar um investidor. Respondi: comprando mil ações por mês. "Foi assim que eu comecei", expliquei a ele, reforçando o mote de que ações garantem o futuro. O efeito multiplicador disso quando se toma a decisão de reinvestir os lucros é imprevisível e exponencial. Alguns podem ficar ricos. Outros podem conquistar uma vida de muito conforto, muito além da que teriam caso tivessem investido na tal aposentadoria pelo INSS. Outros ainda podem ficar bilionários. Não dá para adivinhar. Mas o que consigo dizer é que a mudança é para melhor.

De maneira lenta mas (espero) inexorável, vejo que minha voz começa a ser ouvida fora dos círculos da bolsa. Pouco antes da pandemia me aconteceu algo curioso: eu estava no aeroporto, com minha esposa e minha filha Louise, e uma pessoa se aproximou. "O senhor é o Barsi! Que honra! Posso tirar uma foto com o senhor?"

Achei o episódio divertido. Nunca me imaginei reconhecido em ambientes fora da bolsa. Com o tempo, isso se tornou mais frequente. Às vezes, guiando meu carro de vidro aberto, o motorista ao lado acena para mim e diz: "Seu Barsi, sou seu fã!" Já fui reconhecido em atrações turísticas da minha cidade preferida – Gramado – e participo de *lives* com minha filha que chegam a reunir 50 mil pessoas. Entendo que aconteça: nos últimos anos, com a consolidação da minha carteira, venho me expondo mais do que em outros momentos. Em 2017 fui convidado pela XP, hoje um conglomerado financeiro ligado ao Itaú, para falar sobre a minha filosofia de investimentos no grande evento anual da companhia. Éramos quatro palestrantes ocupando palcos diferentes, e os cerca de 20 mil participantes escolhiam quem desejavam ouvir mudando canais em um aparelho fornecido pela organização do evento. Quando me disseram que 18 mil estavam conectados à minha "sala", me surpreendi. A certa altura, um cidadão perguntou se poderia fazer uma pergunta: o que eu estava comprando?

– Estou comprando o que vai subir – respondi.

Houve risos. O mesmo rapaz insistiu:

– E o que vai subir?

– Ah, mas aí já é a segunda pergunta. Você pediu para fazer uma.

Mais risos – mas acabei dizendo que naquele momento estava comprando Vale. No final de 2015, uma barragem da empresa contendo rejeitos de mineração havia se rompido em Mariana (MG), contaminando as águas do Rio Doce e soterrando em lama um subdistrito, Bento Rodrigues. A tragédia humana e ambiental havia derrubado as ações da empresa, que chegaram a 10 reais e demoraram a se recuperar. Mas eu sabia que a Vale era uma grande organização, com recursos financeiros e gerenciais para, passo a passo, reeguer-se e prosperar. Comprei muitas ações da companhia naquele momento e nos meses seguintes. Cinco anos depois, os papéis da empresa chegaram a 112 reais. Quem comprou ações naquele momento, como eu vinha fazendo, multiplicou seu patrimônio muitas vezes num intervalo de cinco anos. O ponto era confiar na capacidade de reconstrução da empresa – que eu conhecia, como aliás conheço a maioria dos negócios em que invisto, e não apenas pelo balanço, mas por visitas presenciais, durante as quais faço todo tipo de pergunta. Não compro o que não conheço ou não consigo entender – o que explica por que nunca me interessei, por exemplo, pelas criptomoedas. Passei minha vida de investidor comprando papéis de negócios que existem fisicamente e podem ser visitados, compreendidos e admirados. Talvez seja uma limitação minha, mas não creio que isso se aplique às criptomoedas.

Ainda assim, não tenho mais ações da Vale desde 2019, quando ocorreu o segundo acidente, em Brumadinho.

Em outra ocasião, na hora das perguntas após outra palestra que dei, alguém quis saber quantos tipos de investidores eu conhecia. A resposta não me veio de imediato. A princípio, pensei nos investidores de curto, médio e longo prazo, nos especuladores, nos *day-traders*. Com alguma reflexão, porém, concluí – e é como penso hoje – que existem só dois tipos de aplicadores: os que odeiam o dinheiro, e só fazem bobagem, e os que amam o dinheiro, e o tratam bem. Tanto faz ser um investidor de curto ou longo prazo quando se odeia o dinheiro: essa pessoa estará sempre em algum procedimento que terá resultado ruim.

Faço parte do grupo que ama o dinheiro. E trabalho todos os dias para que se multiplique. Por "trabalho", entenda-se a leitura cotidiana de bons jornais, em profundidade, não me restringindo aos títulos, como faz tanta gente que diz ler jornais pela internet. Às vezes, a informação que nos interessa está lá no final do texto. Quando algo me chama a atenção, aprofundo ainda mais com conversas com os diretores da empresa em questão e vou montando o quebra-cabeça. Ao longo de 2019 vi muita gente começando a migrar para a bolsa numa tentativa de fugir da renda fixa, cuja rentabilidade despencou com as baixas taxas de juros praticadas pelo Banco Central naquele momento. O problema é que esses investidores não vieram convictos de que o mercado acionário é a melhor opção. O que querem é ganhar dinheiro rápido, enriquecer da noite para o dia, como se isso fosse possível na bolsa. Você até pode ganhar dinheiro num golpe de sorte ou num *insight*, mas ganhos consistentes, de longo prazo, que permitam viver de dividendos e do patrimônio construído com ações, só são alcançados com aqueles três requisitos que tantas vezes já nomeei aqui. Prioridade. Disciplina. Paciência.

Essas características tornam o caminho para a riqueza menos turbulento, mas não são capazes de evitar que eu tenha problemas. O fato de atuar há cinco décadas no mercado de capitais não significa que eu tenha uma bola de cristal. Já vivi situações na bolsa em que meu patrimônio caiu de alguns bilhões para 900 milhões. Aconteceu até recentemente, quando veio a pandemia e vários governos estaduais decretaram o nosso *lockdown* à brasileira, com interrupção de várias atividades econômicas e serviços. Mantenho a calma nessas horas, uma calma lastreada pelo tempo de mercado. Lembro a mim mesmo que minha carteira previdenciária "paga" minha aposentadoria pela quantidade de ações possuída, e não pelo valor individual das ações. Em circunstâncias dramáticas, meu patrimônio pode até encolher temporariamente, mas o valor dos dividendos será constante. O patrimônio me interessa menos do que o dividendo. Não vou vender, portanto não me importa o preço do papel.

Por isso acho bobagem quando alguém me pergunta: "Barsi, a quanto vai chegar tal papel?" Ora, isso é inimaginável. Depende da incompetência do mercado – os incompetentes vão comprar caro. Eu identifico essa incompetência, vendo o que tenho nesses momentos e realizo lucros. Nem tudo o que compro tem que ser para a minha carteira de renda mensal. Posso me dar ao luxo de brincar um pouco.

Se hoje me vejo cada vez menos pregando no deserto, devo muito à minha filha caçula, Louise. Ela e seus dois sócios seguem o que estruturei no início dos anos 1970 mostrando que o caminho é o investimento em ações e montaram uma plataforma educacional para divulgar esse olhar para o mercado.

Basicamente, o Jeito Barsi de Investir, como batizado por eles, consiste no seguinte:

1. Invista somente em geração, circulação e distribuição de riqueza. Aborte a agiotagem. Seja um investidor, não um especulador. Nunca opte pelo *day trade* nem entregue seus recursos a terceiros sem participar das decisões de investimentos.
2. Não tenha medo de comprar ações. Elas representam um dos investimentos mais seguros e garantidos do planeta. Eleja sempre ações de empresas envolvidas em atividades perenes. Lembre-se do Plano Collor, que encurralou todas as aplicações e os títulos de renda fixa, mas não as ações.
3. Ações representam a participação do investidor em projetos empresariais de qualidade e com visão de futuro. Vise projetos sustentáveis, com histórico de boas distribuições.
4. Lastreie suas aplicações em projetos empresariais muito bem fundamentados, nunca em lançamentos (IPOs, a sigla em inglês para oferta inicial de ações).
5. Nunca aplique seus recursos em fundos de qualquer natureza, pois o único beneficiado será o administrador, que lucra em todas as direções com as múltiplas taxas inerentes aos fundos. Não conheço ninguém que tenha ganhado aplicando em fundos e em previdência privada.
6. Uma carteira de renda mensal se forma de maneira gradual, sistemática e progressiva, nunca pulverizada em seu início.
7. O mercado de ações permite ao investidor ser parceiro de grandes e importantes projetos empresariais. Ao mesmo

tempo, as ações representam a segurança de sua participação no empreendimento.
8. Fuja de derivativos e nunca se alavanque além da sua capacidade financeira. Fuja também de empresas instaladas em paraísos fiscais.
9. Nunca invista em setores cujo histórico se apresenta sempre negativo, como companhias aéreas, varejo, turismo, saúde, construção civil, transporte, prestação de serviços e congêneres.
10. Comprar na baixa e vender na alta é proposta especulativa postulada pelas bolsas de valores, que se beneficiam do giro dos papéis por meio da cobrança de emolumentos, taxas de corretagem e outros custos. Nunca escolha essa trajetória, pois ela conduz o investidor ao insucesso. Não se esqueça de que as ações serão sempre alvo de oportunidades. Sabendo avaliá-las, o investidor nunca perderá.

Por fim, invista sempre no Brasil, pois aqui estão as maiores e melhores oportunidades de ganhos.

—·—

Claro que há macetes que aprendi em tantas décadas de pregão e que seguem valendo mesmo na frieza das telas do *home broker*. Às vezes coloco à venda algum papel por um preço acima do praticado no momento e espero. Gosto de deixar as ordens no VAC, válido até cancelar. Brinco que são as ordens do além. Operadores que trabalham comigo ficam me olhando, perplexos. "Mas tá muito fora, seu Barsi", me dizem. Eu sei que está, mas se colar, colou. Há não muito tempo coloquei à venda 500 mil ações de uma empresa a alguns centavos além da cotação vigente e esperei. Vendi 30 mil pelo valor que queria. Em seguida o valor caiu. Recomprei alguns dias depois e ganhei um dinheirinho. Mas não recomendo. Faço essas "pegadinhas" quase como uma brincadeira, mas não é para todos.

No entanto, considero que o mercado, de maneira geral, é para todos. Todos os dias vem uma novidade: impeachment de presidente, greve de caminhoneiros, pandemia, guerra nas portas da Europa. E todas essas circunstâncias levam o mercado a oscilar. Entendo os que temem o risco, mas, como deixei claro até aqui, com disciplina, paciência e foco no longo prazo é possível construir uma carteira de renda mensal capaz de suprir suas necessidades, no primeiro momento, e com o tempo, quem sabe, enriquecer. Desejo que este livro tenha trazido a você uma nova compreensão do que é o mercado e da riqueza que ele pode gerar para a sociedade e para os indivíduos. Procurei ser transparente ao detalhar minha forma de escolher e gerir papéis.

Reconheço, claro, que gente como eu, que tem certa experiência, sabe até onde uma empresa pode oscilar negativamente e quanto pode prosperar depois daquela variação negativa. Nesse ponto, estou em vantagem. Se servir de consolo, informo que nem sempre essa experiência me salva. Sugestionado pela estrutura do mercado (sim, ainda hoje, com mais de 50 anos de bolsa, acontece comigo), vez ou outra me alavanco comprando papéis promissores a termo, esperando que subam, e eles despencam. Sempre tomo o cuidado de aplicar pouco nessas operações que levam o sangue a correr mais rápido nas veias, porque não tenho em mim a característica do especulador. Não recomendo que o façam.

O fato de ter uma boa carteira de renda mensal não significa conformismo. O tempo todo devemos estar atentos ao *yield*, indicador que mede o rendimento de um papel à luz dos dividendos pagos, que não deve ser inferior a 6% ao ano – um número aceito internacionalmente. Em 2021, por exemplo, em que pesem meu respeito e minha admiração pela Klabin, parei de comprar papéis da empresa. Isso não quer dizer que eu vá vender o que possuo, mas quando o jacaré estiver de boca aberta, não se voltará mais para essa empresa – buscarei outras cujos papéis tenham melhor perspectiva de dividendos.

Mesmo os dividendos andaram sob ataque ao longo de 2021. Aliás, periodicamente algum governo retoma a ideia de taxá-los, o que parece ter um apelo forte, em especial para as esquerdas, que veem os investidores como capitalistas malvados e exploradores.

Há uma percepção generalizada de que a renda no Brasil é mal distribuída. De fato é. Enquanto nos últimos anos o salário mínimo subia a taxas médias de 4%, juízes reivindicavam aumento de 40% e o prefeito da maior cidade do Brasil reajustava o próprio salário em 46%. Claro que essas disparidades vão alargando o abismo entre ricos e pobres. Para manter os supersalários, governo após governo precisa de tributos, e os dividendos sempre entram na mira, até o dia em que de fato vierem a ser taxados. Se e quando isso acontecer, será um tremendo inibidor para o investimento, um empurrão para empreendedores que poderiam exercer aqui seu talento empresarial criarem empregos na China e em outras economias menos taxadas. Penso que tributar o dividendo é uma miopia tributária, é fechar os olhos para o todo e só ver o que interessa.

Sou o defensor da tributação da especulação. A B3 já chegou a negociar 40 bilhões de reais em um único dia. Tomemos então esse ápice e suponhamos que, dos 40 bilhões, 20 bilhões tenham sido compras e 20 bilhões representem vendas. Esse valor não é tributado. Se incidisse sobre ele uma tributação de 10%, o governo arrecadaria 2 bilhões por dia. Duzentos bilhões em 10 dias. Imagine quanto poderia ser feito pelo país com esse dinheiro em caixa. Isso, naturalmente, se tivéssemos um projeto para o país, algo que não se resumisse a uma troca de moeda após outra. Mas isso é outro assunto.

Se eu puder deixar um legado, humildemente, será este: no mercado de capitais, só há duas categorias de investidores que ganham dinheiro. Na primeira estão aqueles que compram papéis e os guardam; é onde me situo. Na segunda estão aqueles que detêm o controle de seus negócios – os controladores das empresas, que têm as ações delas e auferem dividendos. Não conheço ninguém que tenha ganhado muito dinheiro especulando. Não conheço ninguém que tenha ganhado dinheiro com fundos de investimento vendidos por instituições financeiras, muito menos com derivativos. Isso é ficção. No caso dos especuladores, uma hora a casa cai. No caso dos aplicadores em fundos, as taxas de remuneração são miseráveis, e muitos perdem até mesmo para a inflação.

Gostaria que, ao comprar ações, meus leitores pensassem como pequenos donos de um grande negócio. Não acho que as pessoas não devam ser donas de pequenos negócios. Tenho profunda admiração pelos empreendedores. Mas por que não ser parceiro de um grande, também? Investir na bolsa é uma forma de empreender.

Epílogo

O que será do dinheiro que ganhei e investi quando eu me for?

O tempo vivido tem me levado a muitas reflexões. Fui criado na tradição católica e durante boa parte da minha vida frequentei igrejas decoradas com imagens de santos, onde pessoas se ajoelhavam diante de um altar enfeitado, às vezes até opulento, ouvindo padres que vestiam trajes cujo significado eu não entendia. Aos poucos, fui configurando meu próprio jeito de ver o mundo. Não acho que um dia, no Paraíso, alguém tenha tido uma costela suprimida para originar a humanidade. Porém acredito em uma força suprema capaz de criar elementos e realizar façanhas que não estão ao alcance do homem: o Sol, o vento, a Lua, os mares. Quem criou tudo isso tem um poder extraordinário e admirável. Nem todo o dinheiro que juntei me tornou capaz de fazer com que chovesse. Olho para mim hoje e me vejo quase como um viking, fascinado com os elementos e as forças que os produzem.

Às vezes vejo pessoas lendo a Bíblia e afirmando que falam com Deus. Olho-as com certa incredulidade: será que têm esse privilégio extraordinário? O que será que Deus diz a elas? Da mesma maneira, quando alguém se despede de mim com palavras bem-intencionadas, como "Fica com Deus", "Vai com Deus", eu penso: será que elas têm esse poder? Não sei. Tendo a duvidar.

Acredito em mim, na minha força pessoal. Acredito na humildade e em compartilhar conhecimentos. Acredito em analisar as dificuldades e em estudar formas de sair delas. Acredito no óbvio. Durante a vida toda quis convencer outros a fazerem o que eu fiz por acreditar que assim poderiam levar uma vida melhor, mais plena, com mais conforto e satisfação. Quando sou criticado, reflito e agradeço pelo que ouvi. Quando enfrento um problema, paro e penso. Tudo o que vi e vivi me fortaleceu para enfrentar as realidades que se apresentaram.

Cuidei de minha mãe até seu último dia de vida. Quando morreu, ela em nada lembrava a mulher forte que me criou no Quintalão. Já não estava lúcida: mal reconhecia a mim e aos meus filhos. Pensei que era o melhor para ela, para aliviar seu sofrimento, mas mergulhei numa grande tristeza. Fiz tudo para salvá-la, mas não tenho esse poder – a hora da morte chega e ninguém é capaz de revertê-la.

Não estamos no controle.

Lembro de ter pensado isso em uma noite chuvosa de 2017, quando Louise sofreu um acidente na volta da faculdade. Toda noite íamos buscá-la na estação de metrô, mas na noite de 4 de agosto um motorista de ônibus não a viu atravessando na faixa e a derrubou. Uma das rodas do veículo passou pelo pé de Louise na altura do tornozelo. Enquanto esperávamos o resgate, que demorou porque houve muitos acidentes naquela noite, alguém segurou um guarda-chuva sobre nós. Um bêbado se aproximou, contemplou a cena, tirou seu casaco e o colocou sob a cabeça dela. Outro queria bater no motorista, que se defendia acusando Louise de estar distraída, falando ao celular. O celular estava dentro da bolsa dela, que havia sido arremessada para longe com o impacto. Eu quis processar o motorista, Magaly pediu que esquecêssemos. O tornozelo esquerdo dela foi praticamente reconstruído com placas de metal e parafusos, deixando algumas sequelas no movimento do pé.

Mas ela está aqui. Meus filhos todos estão, cada qual com seu jeito, sua vida.

Na essência, sou o mesmo cara simples que costumava viajar todo fim de semana para Mongaguá, no litoral sul de São Paulo, nos anos 1980. Às vezes descia sozinho, numa pequena moto que tinha comprado, e me hospedava em um hotel simples. Eu era tão assíduo que tinha até uma bicicleta guardada lá. Gostava de pedalar na orla, sentindo a brisa, tomando sol.

Nesses passeios de bicicleta, eu passava por uma casa de frente para o mar, enorme, espalhada num terreno fantástico, e via a placa de "vende-se". Seis meses depois de reparar na placa pela primeira vez, me ocorreu que os donos talvez estivessem pedindo um valor muito alto, daí a demora. Informei-me com um conhecido da cidade: o proprietário se chamava Dr. Lustosa e era fabricante de um remédio para aliviar dor de dente, famoso na época, a Cera Dr. Lustosa – uma pasta à base de mel de abelha, cravo-da-índia e um ingrediente misterioso que dava liga à fórmula. O Dr. Lustosa pedia 12 mil cruzados pela casa. Era um bom dinheiro, mas, em meados dos anos 1980, mesmo "um bom dinheiro" se desvalorizava rapidamente se não fosse corrigido. A inflação era galopante.

Alguns meses depois, entrei em contato com o advogado do Dr. Lustosa, que estava incumbido de negociar a venda da casa.

Perguntei sobre o valor: permanecia o mesmo, embora a inflação já houvesse corroído pelo menos a metade.

Demonstrei meu interesse e perguntei se poderia pagar a prazo. O advogado concordou. No fim das contas, comprei o imóvel por uma pechincha.

E, ato contínuo, me perguntei: por que comprei a casa? A verdade é que nem eu mesmo entendia. Um sentimento de posse, um desejo de abrir a janela e contemplar a praia? Um raro desvio do meu senso de prioridade. A casa ficou fechada até 1989, recebendo nossas visitas ocasionais nos fins de semana e consumindo recursos valiosos que eu deixava de investir.

Em 1989, Fernando Collor de Mello elegeu-se presidente da República com um discurso que prometia melhorar as condições de vida da população de baixa renda, que ele chamava de "descamisados". Tive uma ideia.

Todo fim de semana eu via grupos de turistas de baixa renda instalarem-se na areia em frente à casa, trocarem-se precariamente sob guarda-sóis e voltarem a seus carros cobertos de areia. Se era o momento dos descamisados, talvez eu pudesse transformar a casa em uma pousada para famílias mais humildes, cobrando pouco e oferecendo condições melhores do que se trocar na praia. Pedi autorização ao prefeito, contratei um mestre de obras e dividi os cômodos da casa em 28 quartos pequenos, para duas pessoas, com beliches e janelinhas. Diante da dificuldade para encontrar quem administrasse o negócio em meu nome, acabei arrendando a pousada, que tinha o curioso nome de PSI4.

PSI eram as iniciais de Papel Simão na bolsa – eu tinha comprado a casa com o dinheiro da venda desses papéis –, e o "4" era por serem ações PN (preferenciais). A pousada existe até hoje, com outro nome, não mais de frente para o mar: acabei por ceder o terreno para a construção de um restaurante. Os dois imóveis ainda pertencem a mim, estão arrendados e minha filha Luciane os administra.

Parece que foi há tão pouco tempo.

Quando me perguntam minha idade, eu sempre somo nove meses ao número atual, considerando o tempo que passei na barriga da minha mãe. Então são mais de 84 no momento em que termino estas memórias. Não tenho queixas da vida que levo. Tenho uma boa casa, uma boa cama, passeios, boa comida, nada me falta. Trabalho todos os dias, observando até hoje, com fascinação e curiosidade, as oscilações do mercado, que me deu tantas benesses e alegrias. Na pandemia, me habituei a andar de carro, evitando o transporte coletivo de que tanto gosto em nome da saúde. Em casa, abro meu vinho – prefiro os chilenos, com a uva Cabernet, nada muito caro, mas sempre de boa qualidade – e faço minha melhor refeição do dia com minha esposa. Às vezes, minha filha caçula se junta a nós. Tiro um cochilo e desperto, revigorado, algumas horas depois para revisar as operações do dia. Faço contas, planejo novos passos, mantenho a mente lúcida e ativa. Se chego em casa e me vejo sozinho por algum motivo, gosto de assistir a vídeos no YouTube. Aprecio as apresentações do violinista holandês André Rieu e do tenor italiano Andrea Bocelli.

Quando Louise era pequena, toda quarta-feira assistíamos juntos a um show dos Bee Gees, uma banda australiana formada por três irmãos muito afinados e talentosos, que os mais novos talvez não conheçam. Era o nosso grande ritual da semana. O show se chama *One night only* e foi gravado em Las Vegas em 1997 – eu tinha em DVD, mas está no YouTube. Nessas noites, depois de ter assistido conosco ao show algumas vezes, Magaly ia fazer outra coisa, olhando-nos com a complacência de quem pensa: "Outra vez!"

Essa rotina e essas memórias me são muito caras. Fecho os olhos e me lembro de viagens que fizemos. Os três chacoalhando de micro-ônibus pelos penhascos da ilha de Capri, onde fiz questão de comer no restaurante do popularíssimo cantor Peppino di Capri. Deitados no barco para passar pela fenda que dá acesso à Gruta Azul, uma caverna em Capri onde se abriga um braço de mar de um tom azul inimaginável. O aniversário de Louise que festejamos na casa de espetáculos Moulin Rouge, em Paris, com show de cancã, as mulheres com os seios à mostra – até hoje não sei como nos deixaram entrar, pois ela era criança. O castelo de Alhambra, em Granada, onde também assistimos a shows de flamenco. Um encantador de serpentes no calçadão à beira-mar em Nice, na França, e o susto que dei numa mulher que observava a cena – sem querer, encostei no pé dela, e talvez ela tenha achado que havia sido a cobra. Uma nevasca na Suíça, que vimos pela janela, fascinados e bem abrigados num hotel agradável, comendo fondue.

As muitas viagens a Gramado e a Guarapari, no Espírito Santo, sempre de carro, parando no caminho para conhecer cidadezinhas tranquilas. Lembro-me de tempos em que íamos nós três de carro para o Chile. Eu gostava de parar em postos de gasolina nos quais via muitos caminhões estacionados. "Se para tanto caminhão aqui, é porque a comida é boa e barata", eu pensava – e acho que nunca me desapontei. Às vezes lamento não ter mais a mesma paciência para dirigir. Dirigir me dá alguma sonolência e quando chove, como se viu, pode haver problemas.

Na Patagônia argentina, houve certa vez uma passagem memorável. Creio que foi na década de 1980, e eu viajava com minha companheira de então. Dirigindo pelo interior do país, chegamos a um povoado minúsculo chamado San Martin de Los Andes, onde, segundo os locais, havia um lago que valia a pena conhecer – o Lácar. Pois lá fomos nós. O tal lago era lindo e plácido, refletindo o céu azul e os picos nevados ao fundo. Era verão, fazia bastante calor e tive o impulso de botar os pés na água. Tirei as sandálias e me aproximei com cautela, sentindo as pedrinhas do leito do lago pinicando a sola dos pés. A água estava gelada, apesar do sol brilhante. Fui me habituando à temperatura e me invadiu um sentimento único. Talvez alguém chamasse de epifania. Olhando as montanhas e o lago, pensei na maravilha que seria morar num lugar como aquele. "Se eu tiver que morrer amanhã, sinto muito, mas vou dizer à morte que volte daqui a seis meses" – foi o pensamento que tive.

    Talvez eu pense assim até hoje.

CONHEÇA OUTROS LIVROS DA EDITORA SEXTANTE

A bola de neve, de Alice Schroeder

As cartas de Warren Buffett, de Warren Buffett
e Lawrence A. Cunningham

Warren Buffett e a análise de balanços, de Mary Buffett e David Clark

O investidor de bom senso, de John C. Bogle

Sonho grande, de Cristiane Correa

Por dentro da mente de Warren Buffett, de Robert G. Hagstrom

Um passeio aleatório por Wall Street, de Burton G. Malkiel

O pequeno livro dos magos do mercado financeiro, de Jack D. Schwager

Ricos, sábios e felizes, de William Green

Para saber mais sobre os títulos e autores da Editora Sextante,
visite o nosso site e siga as nossas redes sociais.
Além de informações sobre os próximos lançamentos,
você terá acesso a conteúdos exclusivos
e poderá participar de promoções e sorteios.

sextante.com.br